Visual Wound Management

그림으로 보는
상처관리

2nd
Edition

WOC

군자출판사

인 쇄 | 2019년 3월 20일
발 행 | 2019년 3월 28일
저 자 | 박경희

발 행 인   장주연
출 판 기 획   한수인
디 자 인   신지원
일 러 스 트   김경열
발 행 처   군자출판사(주)
            등록 제 4-139호(1991. 6. 24)
            본사 (10881) **파주출판단지** 경기도 파주시 회동길 338(서패동 474-1)
            전화 (031) 943-1888   팩스 (031) 955-9545
            홈페이지 | www.koonja.co.kr

ISBN   979-11-5955-433-9

정가: 55,000원

저자소개

박경희

khpark@suwon.ac.kr

* 수원대학교 간호학과 교수
* 대한창상학회 자문위원
* 대한당뇨발학회 부회장
* 삼성서울병원 간호파트장 및 상처·장루·실금 전문간호사 역임
* 삼성서울병원 국제 상처·장루·실금 전문간호교육(SMC IWOCNEP)과정장 역임
* 미국 Emory University Wound·Ostomy·Continence Nursing Education Program 졸업
* 미국 상처·장루·실금 전문간호사

  (Certified Wound·Ostomy·Continence Nurse, CWOCN) 자격 취득
* 국내 노인전문간호사 자격 취득
* 서울대학교 간호대학 졸업

2판 발간에 즈음하여

「그림으로 보는 상처관리」 1판을 펴낸 2010년은 저자가 외과병동을 시작으로 "Nursing"에 입문한 지 25년이 되는 해이자, 실제 "Wound"와 인연을 맺은 지 15년이 되는 뜻깊은 해였습니다. 1997년, 저자가 상처·장루·실금(Wound·Ostomy·Continence, WOC)이란 이름으로 삼성서울병원에서 국내 첫 WOC교육과정을 개설하고, 2004년 세계장루간호전문가회(World Council of Enterostomal Therapists, WCET)로부터 국제적인 전문교육과정으로 승인을 받음으로써, 한국의 WOC간호교육 수준이 세계적임을 공식적으로 인정받는 쾌거를 이루었던 그 당시만 해도 상처관리는 일반인들이 접근하기 어렵고 생소한 전문 분야였습니다.

최근 의료기술과 지식의 발전에도 불구하고 초고령화 사회로 접어들면서 욕창 등 만성상처의 빈도는 오히려 증가하고 있어 장기적으로 상처관리가 필요한 것으로 확고히 인식되고 있습니다. 실무에서도 의료기관평가 중 욕창관리가 간호에서 큰 부분을 차지하고 노인장기요양법 등의 제도가 마련되면서 상처관리에 대한 중요성은 더욱 부각되었습니다. 이제는 거동이 쉽지 않은 대상자들이 상처전문가를 찾아 병원을 방문하기보다는 방문의료나 요양원 등 지역의료의 도움을 받을 수 있게 되었으며, 다양한 상처관리 제품을 일반인들도 쉽게 접할 수 있어 가정에서 상처관리에 대한 실질적인 참여 또한 높아지고 있습니다. 그러나 기존의 상처에 관한 전문가 수준의 책들은 내용이 대부분 어려워, 상처를 처음 접하는 의료인과 일반인들을 위한 실용적인 입문서에 대한 요구에 힘입어 저서인 「그림으로 보는 상처관리」 1판을 3쇄까지 출간하였습니다.

30여 년의 값진 임상경험을 뒤로하고 학교로 옮기면서 시간에 쫓기다가, 이제서야 나의 분신과 같은 2판을 발간하기에 이르렀습니다. 2판은 기존의 내용에 욕창이나 감염에 대한 개념과 용어의 변화 등을 반영하고 의학용어는 5집 개정판을 참조하였으며, 상처와 관련된 해부 및 생리를 포함한 상처관리의 기본 원리를 근거에 입각하여 실제 저자가 경험한 증례를 통해 최대한 쉽게 설명하고자 노력하였습니다. 저술의 내용도 심도 있는 학문적인 내용보다는 실제 임상에서 상처를 관리하는 절차에 중점을 두었습니다. 또한 그림을 통한 사례와 실무에 관한 포인트는 물론, 욕창관련 알고리즘을 부록으로 포함하여 이해를 돕고자 하였기에 의료인은 물론, 간호학을 공부하는 학생과 환자를 돌보는 일반인에게도 도움이 될 것이라 생각합니다.

본 저서가 완성되기까지 도움을 주신 많은 분들께 감사드립니다.

저자가 간호관리자와 전문간호사로서 의미 있는 소명을 다 할 수 있도록 신뢰하고 치료를 맡겨 주셨던 삼성서울병원 식구들에게 큰 감사의 마음을 전합니다. 누구보다도 저를 믿고 치료에 응해주시고, 귀중한 사진을 촬영할 수 있도록 흔쾌히 허락해주신 환자분들과 가족들에게도 진심으로 깊은 감사를 드립니다. 저자가 오늘날과 같은 모습으로 있기까지 늘 격려해주시는 김채숙 선생님, 처음에는 제자의 인연이었지만 이젠 상처와 장루간호 분야의 동료로서 한결같이 조언해준 백규원 선생님, 박주희 선생님, 박승미 교수님께도 감사드립니다.

이 책이 나오기까지 출판의 모든 과정을 이끌어 주신 군자출판사와 마지막까지 방대한 내용과 그림을 편집해주신 한수인 팀장님, 노수나 대리님, 디자이너 신지원 님, 일러스트 김경열 차장님께 감사드립니다. 저자가 지치지 않는 열정과 소신을 갖고 집필에 매진할 수 있도록 배려해준 든든한 후원자인 남편과 부족한 엄마임에도 불구하고 이제 청년이 되어 큰 버팀목이 된 두 아들에게도 사랑한다는 말을 전하고 싶습니다. 또한 누구보다도 이 책의 발간을 기다리셨던 존경하는 부모님께 깊이 감사드립니다. 끝으로 무엇보다도 집필하는 긴 시간 동안, 충분히 명분 있는 작업으로 생각하고 참으로 즐기면서 기쁘게 몰입할 수 있었음에 진정으로 감사합니다.

끝으로 2판을 펴내면서 미진한 부분은 여러 선·후배와 동료들의 값진 조언으로 보다 실용적인 저서로 거듭날 것이라 기대합니다.

2019년 3월

박경희

목차

용어 정의

감염 (Infection)	미생물이 상처 깊이 침투하여 증식한 것으로, 숙주에게 임상적인 반응을 일으키며 조직의 손상과 상처치유 과정의 지연 및 장애를 유발함. 미생물의 숫자를 기준으로 10^5 colony-forming unit(CFU)/g 이상일 때 감염이라고 정의하기도 하지만, 미생물의 숫자가 절대적인 판정기준은 아니므로 임상증상과 함께 미생물의 특성, 숙주의 면역상태도 고려해야 함. 감염의 주 증상으로 홍반, 열감, 부종, 통증, 화농성 삼출물, 냄새, 발열, 백혈구 수치의 증가가 있음. 그러나 면역반응이 억제되었거나 혈액순환이 좋지 않은 대상자의 경우 감염으로 인한 임상증상들이 나타나지 않을 수 있음
공동 (Cavity)	신체나 기관 내의 속이 빈 공간 또는 잠재적인 공간
괴사조직 (Necrotic tissue)	죽은 조직으로서 본래의 생리적 특성을 잃은 조직
부육/딱지 (Slough)	상처표면에 붙어있는 느슨하거나 단단히 고정된 백색, 노란색, 황갈색 또는 초록색의 조직. 부드럽고 습윤한 비혈관성(avascular)의 괴사조직과 피브린, 콜라겐, 백혈구, 세균 등으로 구성된 염증의 부산물. 색깔이나 두께는 조직의 습기 정도 등에 따라 다름
가피/괴사딱지 (Eschar)	상처표면에 붙어있는 검정색 혹은 갈색의 두껍고 응고된 껍질 혹은 부식물질이나 화상, 괴저(gangrene)에 의해 발생한 괴사조직. 저절로 떨어져 나가기도 함
괴사조직제거술/ 죽은조직제거술 (Debridement)	죽은 조직을 제거하는 것
자가분해방법 (Autolytic debridement)	습윤드레싱제를 적용하여 괴사조직을 제거하는 방법
보존적 괴사조직제거술 (Conservative debridement)	멸균기구를 이용해 수술실이 아닌 침상에서 괴사조직을 제거하는 방법
외과적 괴사조직제거술 (Sharp debridement)	멸균기구를 이용해 수술실에서 괴사조직을 제거하는 방법
물리적 괴사조직제거술 (Mechanical debridement)	압력을 가해 상처로부터 괴사조직을 제거하는 방법
화학적 괴사조직제거술 (Chemical debridement)	효소제제나 괴사조직을 녹이는 다른 성분을 이용해 괴사조직을 제거하는 방법
굳은살 (Callus)	압력 또는 마찰로 인해 표피 각질층의 국소적 과다형성
농양 (Abscess)	감염으로 인해 염증 조직이 농으로 둘러싸여 생긴 것

매트리스 (Mattress)	기존 침대에 올려 압력을 재분배할 수 있는 정적(static) 또는 동적(dynamic) 지지면
동로 (Sinus tract)	피부표면 혹은 상처가장자리의 작은 영역을 포함하여 좁고 길게 조직의 파괴가 일어나 통로가 생긴 것으로 터널(tunnel)과 동의어임. 근막(fascis) 이상이 분리되어 통로의 끝이 있는 것처럼 보이며 이러한 공동(cavity)에 농이 고임. 일반적으로 피부는 개방되어 있으나 동로의 대부분은 보이지 않음
마찰력 (Friction)	두 개의 표면이 서로 반대편으로 움직이면 발생하는 힘으로서, 침대 시트 등 거친 면을 수평으로 끌어당길 때(물체가 움직일 때) 피부에 발생하는 것을 동적마찰력(dynamic friction)이라고 하고, 수평으로 움직이지 않는 피부에 수직으로 압력을 가할 때 심부조직이 수평으로 경사를 이루면서 발생하는 것을 정적마찰력(static friction)이라고 함
매트리스 겉깔개 (Mattress overlay)	침대 매트리스 위에 올리는 지지면을 표현하는 일반적인 용어. 폼, 물, 젤, 공기 또는 여러 물질들의 복합물질로 구성된 정적 또는 동적 매트리스 깔개가 있음
미란 (Erosion)	기저막(표피와 진피 경계부)을 넘지 않고 표피만 떨어져 나가 발생하며, 보통 흉터 없이 치유됨. 진피의 소실이 있는 궤양(ulcer)과 구별됨
발적 (Redness)	피부표면의 모세혈관 확장에 의해 피부가 붉은색으로 되는 징후를 가리키며, 발진명으로 홍반(erythema)임. 미국의 NPUAP에서 정의한 1단계 욕창의 홍반과 혼용하여 사용함
부분층 피부손상 (Partical thickness tissue loss)	표피 전체 또는 진피의 일부분을 침범하여 진피가 노출된 상처
삼출물 (Exudate)	조직 혹은 모세혈관으로부터 배출된 체액, 세포 혹은 혈관에서 떨어져 나가 조직 표면에 쌓여 있던 세포의 파편. 단백질과 백혈구가 주성분으로 그 성질과 상태, 양은 염증의 원인과 정도를 반영함
상처 (Wound)	조직의 연속성이 파괴되는 상태로, 일반적으로 창상(創傷)과 동일한 의미로 사용함. 좁은 의미로 창(創)은 밖에 손상이 있는 것, 상(傷)은 밖에 손상이 없는 것을 뜻함
급성상처 (Acute wound)	주로 수술이나 외상으로 인해 발생한 상처로 시간의 경과에 따라 정상적인 상처치유 과정을 거치는 상처
급성상처 (Chronic wound)	상처치유 과정이 내적 혹은 외적요인에 의해 정상적으로 진행되지 못하거나, 치유 과정이 진행되더라도 매우 느리거나 손상되어 적절한 해부학적 구조와 기능을 회복하지 못하는 상처
상피화 (Epithelization)	상피세포(epithelial cells)의 이동(migration)이 일어나 손상된 부분을 덮어가는 과정으로 이동은 상처가장자리의 맞은편 상피세포를 만날 때까지 계속됨

용어 정의

세척 (Irrigation)	액체를 흘려 물리적으로 씻는 것
습기관련 피부손상 (Moisture associated skin damages)	소변, 대변, 배액물, 땀 등 습기에 의해 피부가 손상된 것
연조직염 (Cellulitis)	세균과 세균의 부산물이 상처주위조직에 침투하여 피부와 지방조직에 광범위하게 발생한 급성 염증과 감염
염증 (Inflammation)	조직 내로 병원균(pathogen)의 침투 또는 세포의 손상을 일으키는 유해한 외부 자극에 대해 체내에서 스스로 일어나는 방어반응으로, 혈액성분이 혈관벽을 통하여 조직으로 빠져나와 홍반, 열감, 부종, 통증과 삼출물 등의 증상이 있음. 염증증상이나 징후는 감염 시에도 나타나지만 염증증상이나 징후가 있다고 해서 반드시 감염을 의미하는 것은 아님
육아조직 (Granulation tissue)	상처치유가 시작될 때 개방상처를 채워나가는 붉고 축축한 조직으로 신생혈관, 결합조직, 섬유모세포, 염증세포들의 복합체. 진한 붉은색의 비정형 과립성 표면으로 나타남
잠식 (Undermining)	정상적인 피부표면 아래의 조직이 파괴된 것. 보통 전단력에 의해 발생하며 잠식의 경우, 동로(sinus tract, tunneling)보다 깊이는 얕고 상처가장자리를 따라 발생하며 피하조직을 침범하여 근막 상부에서 발생하기 때문에 동로와 구별됨
전단력/엇밀린힘 (Shearing force)	침상 머리쪽을 올릴 경우 미끄러질 때 생기는 힘으로서, 얕은 근막(fascia)과 뼈에 단단히 붙어 있는 깊은 근막 사이에 혈액순환 장애를 일으켜 근육과 같은 깊은 조직에 손상을 줌
전층 피부손상 (Full–thickness tissue loss)	진피 전체 또는 피하조직이나 근육·뼈까지 침범한 상처
지지면 (Support surfaces)	체중으로 인한 압력을 넓게 재분배하고, 전단력을 줄이면서 미세피부환경(체표면과 지지면의 접촉면에서 발생하는 국소적인 조직의 온도와 습기 정도; microclimate) 조절을 목적으로 사용하는 표면. 매트리스, 매트리스 겉깔개, 쿠션, 베개 등이 있음
짓무름/침연 (Maceration)	조직이 다량의 삼출물에 담가져서 연하게 된 것
표면 밀착 (Bottoming out)	지지면 아래에 손바닥을 위로 하여 넣었을 때, 신체의 뼈 돌출부위와 지지면 사이의 여유 공간이 1인치 미만으로 밀착되어 있는 것
홍반 (Erythema)	피부표면 모세혈관의 이완으로 피부가 붉게 변한 것
창백성 홍반 (Blanching erythema)	발적된 피부에 압력을 가했을 때 붉은 부분이 하얗게 변하는 홍반으로, 압력을 제거 시 대부분 돌아오는 정상적인 충혈성 반응
비창백성 홍반 (Nonblanching erythema)	발적된 피부에 압력을 가했을 때 붉은 부분이 하얗게 변하지 않는 홍반으로, 1단계 욕창임

1

그림으로 보는

피부

피부는 모발(털), 손톱, 발톱, 피지선(기름샘), 땀샘 등의 피부 부속물과 함께 외피계(integumentary system)라고 부른다. 이것은 신체에서 가장 큰 기관으로 2.5~3.5kg 정도의 무게와 약 1.8m² 이상의 면적을 가지고 있고, 살아있는 세포들은 피부의 작은 혈관들의 광범위한 네트워크를 통해 산소와 영양분을 공급받고 있다.

1. 피부의 해부

피부는 단일기관으로 기능하지만 표피, 진피, 피하조직(피부밑조직)으로 구성되어 있다(그림 1-1).

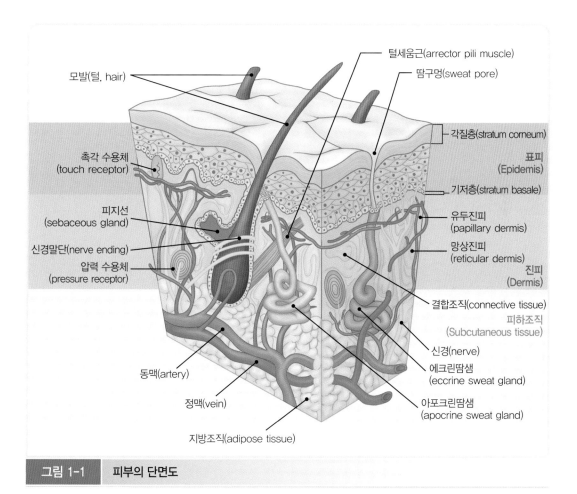

| 그림 1-1 | 피부의 단면도 |

2. 피부의 구조와 기능

1) 표피(Epidermis)

구조

- 피부의 가장 바깥층으로 재생과 탈락을 반복하는 중층편평상피(stratified squamous epithelium)이며, 주로 각질세포(keratinocyte)로 구성되어 있다.
- 손바닥과 발바닥, 입술 부위는 5개의 하위층인 각질층(stratum corneum), 투명층(stratum lucidum), 과립층(stratum granulosum), 가시층(stratum spinosum), 기저층(바닥층, stratum basale)으로 이루어져 있고, 그 외 다른 부위는 투명층이 없이 4개의 층으로 구분된다(그림 1-2).
- 두께는 0.075~0.15mm로 비교적 동일하나, 손·발바닥은 0.4~0.6mm이다.
- 혈관이 없기 때문에 진피로부터 영양분을 공급받는다.
- 계속적인 표피세포의 탈락이 이루어지며, 완전히 교환되는 데는 4~6주가 소요된다(그림 1-3).
- 표피를 진피와 분리하는 구역인 표피진피 접합부(dermoepidermal junction)의 기저막(basement membrane)이 망상돌기(rete peg)와 망상능선(rete ridge)을 이루며, 피부층이 서로 맞물려 있어 구조적 통합성을 유지하는 역할을 한다(그림 1-4).

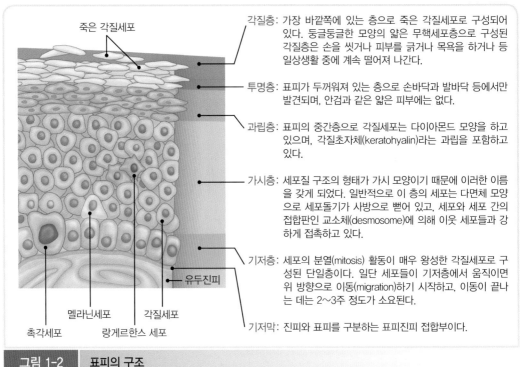

죽은 각질세포

멜라닌세포 각질세포
촉각세포 랑게르한스 세포

유두진피

각질층: 가장 바깥쪽에 있는 층으로 죽은 각질세포로 구성되어 있다. 둥글둥글한 모양의 얇은 무핵세포층으로 구성된 각질층은 손을 씻거나 피부를 긁거나 목욕을 하거나 등 일상생활 중에 계속 떨어져 나간다.

투명층: 표피가 두꺼워져 있는 층으로 손바닥과 발바닥 등에서만 발견되며, 안검과 같은 얇은 피부에는 없다.

과립층: 표피의 중간층으로 각질세포는 다이아몬드 모양을 하고 있으며, 각질초자체(keratohyalin)라는 과립을 포함하고 있다.

가시층: 세포질 구조의 형태가 가시 모양이기 때문에 이러한 이름을 갖게 되었다. 일반적으로 이 층의 세포는 다면체 모양으로 세포돌기가 사방으로 뻗어 있고, 세포와 세포 간의 접합판인 교소체(desmosome)에 의해 이웃 세포들과 강하게 접촉하고 있다.

기저층: 세포의 분열(mitosis) 활동이 매우 왕성한 각질세포로 구성된 단일층이다. 일단 세포들이 기저층에서 움직이면 위 방향으로 이동(migration)하기 시작하고, 이동이 끝나는 데는 2~3주 정도가 소요된다.

기저막: 진피와 표피를 구분하는 표피진피 접합부이다.

그림 1-2 　표피의 구조

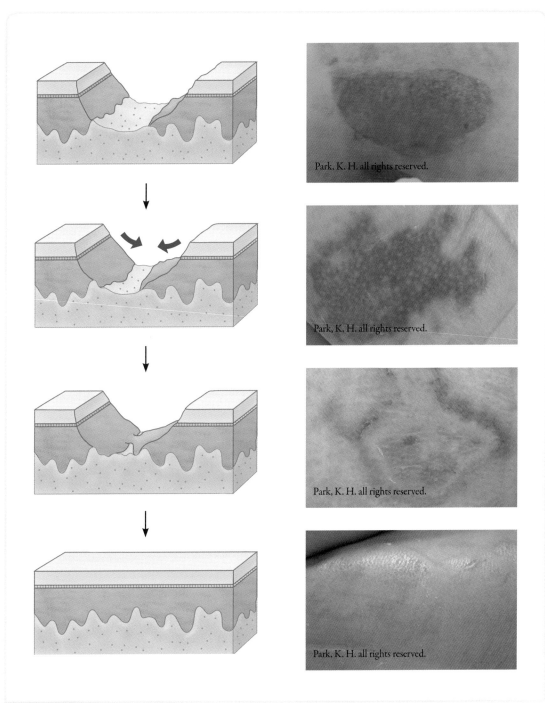

그림 1-3

표피세포의 이동

오른쪽 두 번째 그림의 옅은 분홍색 반점으로 보이는 것은 부분적으로 상피화가 진행된 모습

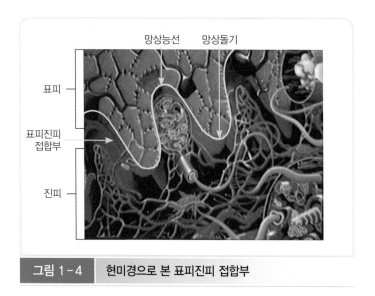

망상능선   망상돌기

표피

표피진피
접합부

진피

| 그림 1-4 | 현미경으로 본 표피진피 접합부 |

기능

- 피부의 첫 번째 보호막으로, 상피세포는 상처치유에서 중요한 역할을 담당하는 분열과 이동(migration) 능력을 보유하고 있다(그림 1-5).
- 세포들을 조직하고, 비타민 D와 시토카인(cytokines)을 합성한다.
- 진피와 접합을 유지하며 모발, 손·발톱, 땀샘, 피지선을 분화한다.
- 멜라닌세포(melanocyte)가 분포되어 있어 피부색을 나타낸다.
- 랑게르한스 세포(Langerhans cell)가 산재되어 있어 알러지원을 인식하는 등 면역반응을 한다.

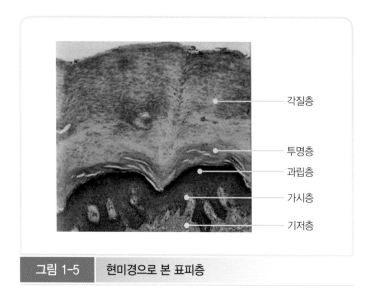

각질층

투명층

과립층

가시층

기저층

| 그림 1-5 | 현미경으로 본 표피층 |

2) 진피(Dermis)

구조

- 기저막대 바로 밑에 위치하며, 진피 두께의 1/5을 차지하는 유두진피(papillary dermis)와 유두진피 밑에 있으며 진피의 기저부를 형성하는 망상진피(reticular dermis)으로 나눈다.
- 진피는 결합조직(connective tissue)으로서 표피 아래에 위치하며 피하조직과 접하고 있다.
- 두께는 2~4mm로 부위에 따라 다양하며 등에서는 표피의 30~40배 정도이다.
- 장력을 제공하는 콜라겐섬유(collagenous fiber)와 탄력을 유지하는 탄력섬유(elastic fiber)로 구성되어 있으며, 섬유모세포(fibroblast)에 의해 만들어진다. 이 섬유들은 특정한 패턴으로 배열되어 있어서 피부의 선과 긴장도를 결정한다. 탄력섬유는 노인보다 청년이 더 많으며 탄력섬유의 감소는 노화 증상 중 하나이다.
- 혈관(blood vessel, 그림 1-6), 림프관(lymphatic), 신경섬유(nerve fiber), 피지선(sebaceous gland), 땀샘(sweat gland), 모발(hairs), 손·발톱(nail) 등이 포함되어 있다.

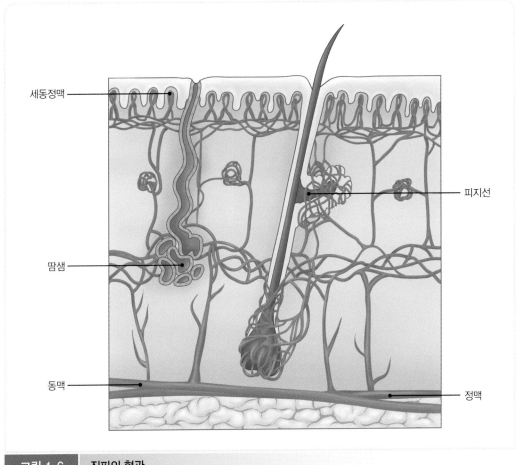

세동정맥

피지선

땀샘

동맥

정맥

| 그림 1-6 | 진피의 혈관 |

기능

- 전단력(엇밀린힘, shearing force) 등 물리적인 힘에 저항하며 피부의 구조물들을 지지한다.
- 유두진피는 표피의 기저층에 영양분과 산소 공급을 담당하는 모세혈관을 포함하고 있고, 망상진피에는 혈관, 림프관 등을 포함하고 있어 염증반응을 일으킨다(그림 1-7).

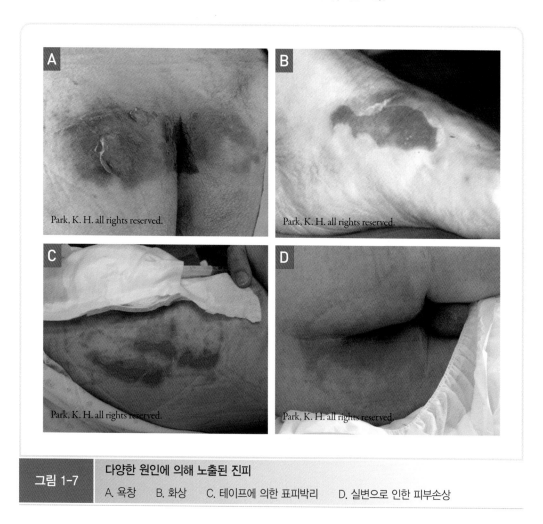

그림 1-7	다양한 원인에 의해 노출된 진피
	A. 욕창 B. 화상 C. 테이프에 의한 표피박리 D. 실변으로 인한 피부손상

3) 피하조직(피부 밑조직, Subcutaneous tissue, Hypodermis)

구조

피하조직은 진피를 그 밑의 장기와 연결해주는 부분으로, 성긴결합조직(loose connective tissue)과 지방세포(adipose cell)로 구성되어 있고, 혈관과 림프관 및 신경말단부를 포함한다.

기능

- 결합조직은 내부의 구조와 단단히 연결하는 작용을 하고, 지방조직은 외부의 압력으로부터 보호해주며 마찰력에 대해 패딩 효과를 제공하여, 뼈와 근육과 같은 심부구조 위에서 피부의 이동을 쉽게 한다.
- 지방조직이 많아서 열을 생산하고 생산한 열을 보유할 뿐만 아니라 충격을 흡수함으로써 신체를 보호하며 여분의 영양소를 축적한다(그림 1-8).

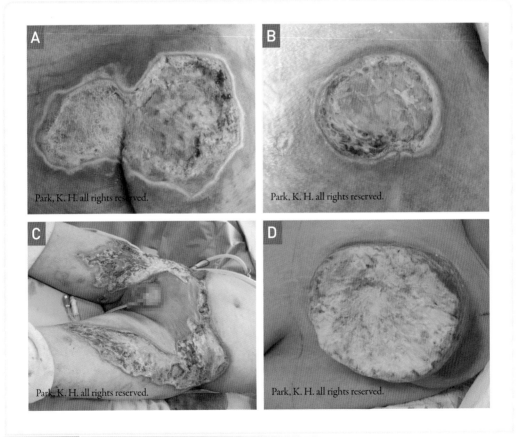

그림 1-8	다양한 원인에 의해 노출된 피하조직
	A. 욕창 B. 화상 C. 괴사성근막염 D. 유방암

4) 표피 부속물(Epidermal appendage)

- 모발: 성인의 모발은 짧고 가늘어 잘 눈에 띄지 않고 색깔이 비교적 옅은 솜털(연모, vellus hair)과 거칠고 두꺼워서 눈에 잘 띄고 색깔이 진한 종말털(성숙털, 성모, terminal hair)로 구분된다. 머리카락과 눈썹은 종말털에 속한다.

- 손·발톱: 손·발톱은 손가락과 발가락의 말단부를 보호한다. 단단하고 직사각형이며, 보통 휘어있는 손·발톱판(nail plate)은 손·발톱바닥(nail bed)에 단단하게 붙어 있고, 손·발톱바닥의 혈관분포에 의해 분홍색을 띤다.

- 피지선: 모발의 상피(epithelium)로부터 발생되는 피지선은 모발의 줄기(모간)로, 피지(sebum)를 분비하는 홀로크린선(온분비샘, holocrine gland)이다. 피지는 지질이 대부분으로 털의 줄기를 통해 피부표면으로 배출되어 피부각질층의 윤활작용과 방수역할을 하고 모발이 푸석거리지 않게 해준다. 피지선이 막히면 여드름이 발생하게 된다. 피지선은 손·발바닥을 제외한 모든 피부표면에 분포한다.

- 땀샘: 에크린땀샘(eccrine sweat gland)은 전신에 넓게 퍼져 있고 피부표면으로 직접 땀을 분비하며 이러한 땀분비에 의해 체온이 조절된다. 아포크린땀샘(apocrine sweat gland)은 액와부, 생식기 부위에 주로 분포하고 모낭으로 개구되며 정서적 자극에 의해 분비가 조절된다. 또한 아포크린땀샘의 분비물은 세균에 의해 분해되어 몸에서 냄새가 나는 원인이 되기도 한다.

3. 피부의 혈액 공급

피부는 근육에서 비롯되는 혈관을 통해 혈액을 공급받고, 동맥들은 더 작은 혈관으로 이어져서 이 혈관들의 네트워크를 통해 진피와 피하조직으로 혈액이 공급된다(그림 1-9).

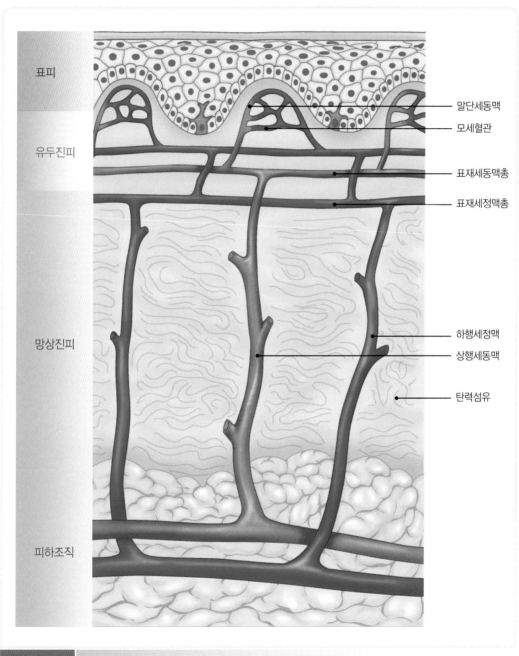

표피

유두진피

망상진피

피하조직

말단세동맥
모세혈관
표재세동맥총
표재세정맥총
하행세정맥
상행세동맥
탄력섬유

그림 1-9	피부의 혈관

4. 피부의 일반적인 기능

표 1-1	피부의 기능
보호	• 피부는 화학적·물리적 손상, 세균과 바이러스, 자외선으로부터 신체를 보호한다. • 과도한 수분과 전해질의 손실을 예방하여 신체의 항상성을 유지한다.
감각	• 신체는 피부에 위치한 신경말단을 통해 통증, 촉각, 온도, 압력을 감지한다.
체온조절	• 체온조절을 위해 진피에 신경, 혈관, 에크린땀샘이 포함되어 있다. • 체온조절 기전은 크게 혈액순환과 땀의 발산으로 나눌 수 있다. 　– 혈관이 이완되면 혈류가 증가하여 전도, 복사, 방사, 발산 등의 방법으로 열을 방출하고, 반대로 혈관이 수축하면 열의 발산을 막는다.
배설	• 수분과 노폐물 배설을 환경으로 전달한다. • 전해질과 수분 함량의 균형을 유지한다.
대사	• 뼈와 치아가 조성되는 광화작용(무기질 침착, mineralization)을 한다. • 비타민 D(칼슘, 인의 대사에 참여)를 합성한다.
흡수	• 약이 직접 혈류 내로 흡수되도록 한다.
의사소통	• 표정 등의 의사소통 기능이 피부를 통해 나타난다.

5. 노화에 따른 피부의 변화

표 1-2	노화에 따른 피부의 변화
각질층	• 각질의 교체 주기가 50% 감소하여 상처치유가 늦어진다.
진피두께	• 진피 두께가 20% 감소한다.
유두진피	• 유두진피는 편평화되면서 표피–진피의 접촉면이 감소하여 각층 간의 결합력이 약해져서 표피박리의 위험성이 증가한다.
심부혈관층	• 심부혈관층이 감소하여 피부까지의 혈류량이 감소하므로 상처치유가 지연된다.
지방세포	• 피하조직의 지방세포가 감소하여 전단력이나 압력에 의한 손상 가능성이 높아진다.
멜라닌세포	• 멜라닌세포의 생산 감소로 불규칙 색소가 침착되어 피부암의 위험이 증가한다.
비만세포	• 비만세포는 50% 감소하여 염증반응이 감소된다.

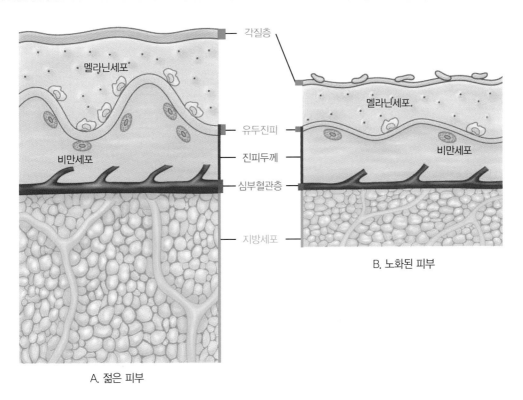

A. 젊은 피부

B. 노화된 피부

2

그림으로 보는

상처치유

상처치유

피부가 손상된 것을 상처(창상, wound)라고 하며, 혈액순환이나 산소·영양 공급 정도와 같은 내적요인은 물론 손상 범위와 유형 등은 상처치유에 영향을 준다. 상처치유는 봉합되는 형태에 따라 일차유합, 이차유합, 삼차 유합으로 구분할 수 있다.

1. 상처치유의 유형

1) 일차유합(Primary intention)

- 즉각적인 단순봉합(단순유합, simple closure)을 통해 선형 흉터(linear scar)만 남기고 치유된다(그림 2-1).
- 최소한의 조직 손실로 흉터가 적다.
- 상처가장자리의 접근(approximation)이 용이하다.

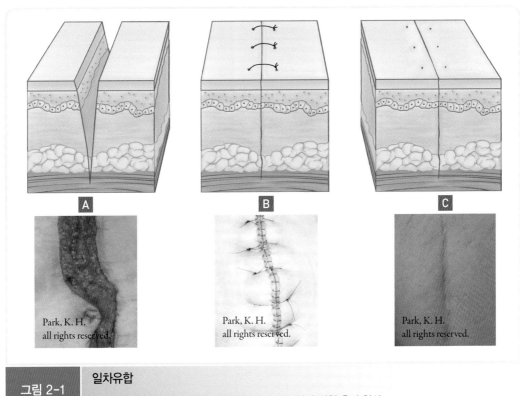

그림 2-1	일차유합
	A. 청결한 절개상처 B. 조기봉합 C. 가느다란 선형 흉터 형성

- 상처주위 혈종, 절개선의 삼출물 배액 유무, 출혈, 죽은조직, 오염물을 관찰한다.
- 절개상처의 융기(healing ridge) 정도를 관찰한다(그림 2-2, 2-3).
- 치유기간은 보통 4~14일 정도 소요된다.
  예 절개상처

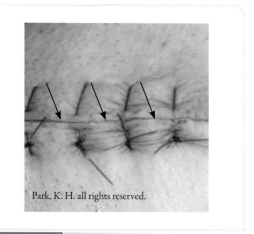

그림 2-2 　절개상처의 융기된 모습

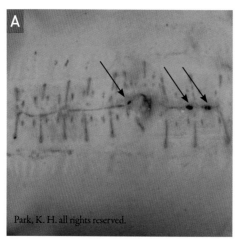

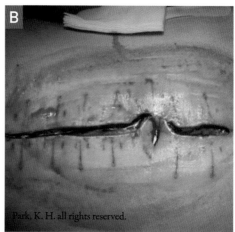

그림 2-3 　절개상처가 융기되지 않고 피부가 벌어져(A) 상처치유에 실패한 모습(B)

2) 이차유합(Secondary intention)

- 조직의 손실이 있거나 배액을 위한 개방상처로 전층 피부손상이 치유될 때 일어난다.
- 손실된 부분은 육아조직으로 채워지면서 상처 수축이 많이 일어나고 상피화로 상처가 덮이면서 흉터가 남는다(그림 2-4).
- 가장자리 접근이 쉽지 않다.
- 육아조직, 상피화, 수축 정도를 관찰한다.
- 치유기간은 오래 소요된다.
- 일차유합보다 합병증 발생률이 높다.
  - 예 욕창, 하지궤양, 상처열개(wound dehiscence) 등 만성상처

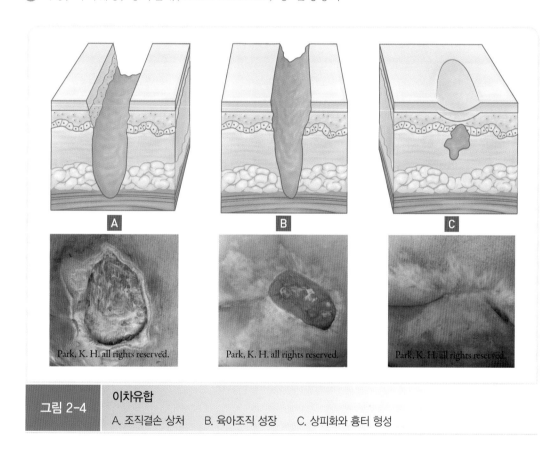

그림 2-4 **이차유합**
A. 조직결손 상처   B. 육아조직 성장   C. 상피화와 흉터 형성

3) 삼차유합, 지연된 일차유합(Tertiary intention, Delayed primary intention)

- 상처가 심하게 오염되어 일차유합 형태가 지연된 형태로 배액을 하는 등 개방상처, 육아조직 성장, 봉합의 세 단계를 거친다.
- 일정기간 동안(대체로 3~5일) 개방하여 부종을 감소시키고 삼출물을 배액시키는 등 감염을 조절한 후 봉합한다.
- 상처기저부는 육아조직으로 채워진다.
- 상처는 늦게 봉합되어 넓은 흉터가 남는다(그림 2-5).

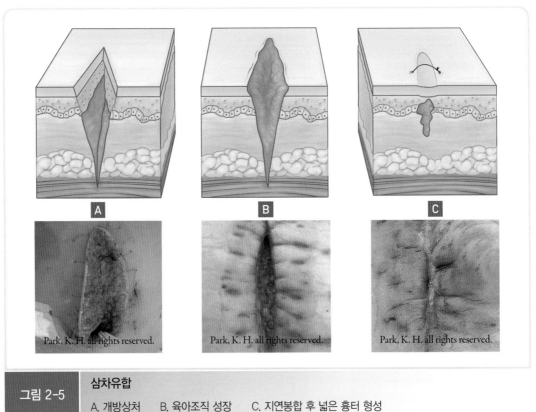

그림 2-5	삼차유합
	A. 개방상처　　　B. 육아조직 성장　　　C. 지연봉합 후 넓은 흉터 형성

2. 상처치유 과정

1) 상처치유 과정

- 상처의 원인은 화학적, 물리적 자극이나 열 등 다양하지만 모든 상처의 치유 과정은 동일하다.
- 상처치유는 손상 즉시 시작되며 염증기, 증식기, 성숙기를 통해 치유 과정이 진행된다(표 2-1).

표 2-1	상처치유 과정

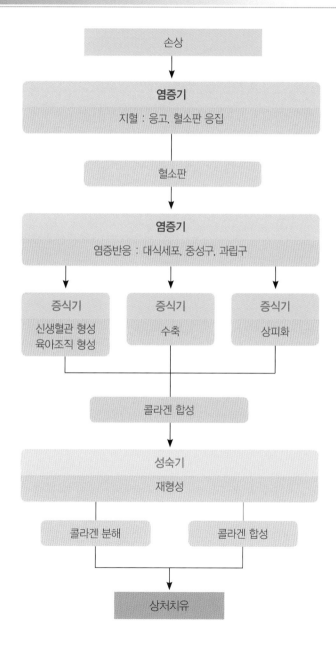

2) 상처치유 기간

- 보통 급성상처의 치유 과정은 손상 직후부터 시작되며 염증기는 2~3일 정도, 증식기는 3~14일, 성숙기는 14일에서 짧게는 21일가량 소요되며 길게는 1년까지도 진행된다. 만약 이와 같은 예상 기간에 치유가 되지 않으면 만성상처로 분류된다(그림 2-6).

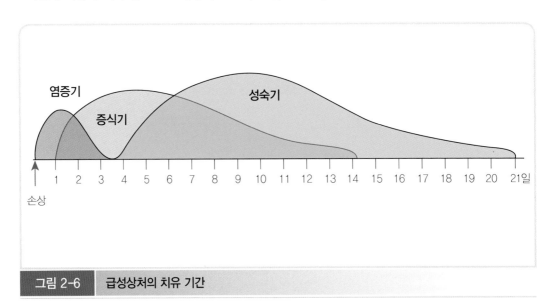

| 그림 2-6 | 급성상처의 치유 기간 |

3. 상처치유 기전

1) 염증기(Inflammatory phase)

(1) 지혈(hemostasis)

- 조직이 손상을 입으면 손상된 혈관으로부터 세로토닌, 히스타민, 프로스타글란딘이 분비되어 혈소판(platelet)의 응집을 유도한다. 그 결과 피브린 덩어리가 생겨 상처가장자리를 막아 더 이상의 혈액과 체액의 손실이 없도록 한다(그림 2-7).

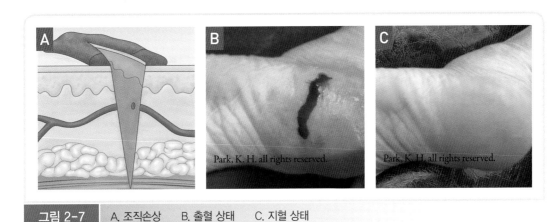

| 그림 2-7 | A. 조직손상   B. 출혈 상태   C. 지혈 상태 |

(2) 염증(inflammation) 반응

- 혈관성 반응: 히스타민 등 혈관확장 물질의 방출로 혈관이 확장되면서 혈관에 울혈이 생기고 장액성 삼출물이 상처기저부로 흘러들어 가게 되어 상처에 홍반(erythema), 부종(edema), 열감(warmth), 통증(pain), 삼출물(exudate) 등의 증상이 나타나게 된다(그림 2-8).
- 세포성 반응: 주위조직으로부터 이동해 온 백혈구는 식균작용 및 괴사조직을 제거하는 기능을 한다. 따라서 염증기의 최종 산물은 출혈 조절과 깨끗한 상처기저부를 만든다. 염증기는 깨끗한 상처의 경우 약 3~5일간 지속되며, 감염된 상처에서는 훨씬 길어진다.
  - 다형핵 백혈구(polymorphonucleal leukocyte, PMN)
    - 단핵세포, 내피세포에서 중성구(neutrophil)를 활성화한다.
    - 상처 발생 후, 정상적으로 24시간 이내에 상처의 오염이 조절되면 소실되고, 이후 24~48시간에는 단핵구(monocyte)가 주를 이룬다.
    - 상처오염이 지속되면, 다형핵 백혈구의 활동은 지속되고 다음 단계의 상처치유 과정은 일어나지 않는다.

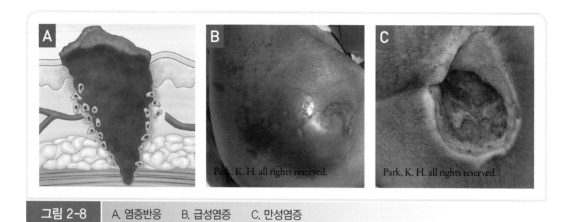

그림 2-8　　A. 염증반응　　B. 급성염증　　C. 만성염증

- 대식세포(macrophage)
  - 순환하는 단핵구는 상처 내로 들어감으로써 활성화되고 결국 대식세포로 전환된다.
  - 대식세포는 식균세포로 작용할 뿐 아니라 섬유모세포(fibroblast)에 의한 세포기질의 생성과 증식, 근섬유모세포(myofibroblast)의 증식, 혈관생성에 의한 내피세포의 증식에도 일차적 역할을 담당한다(그림 2-9).

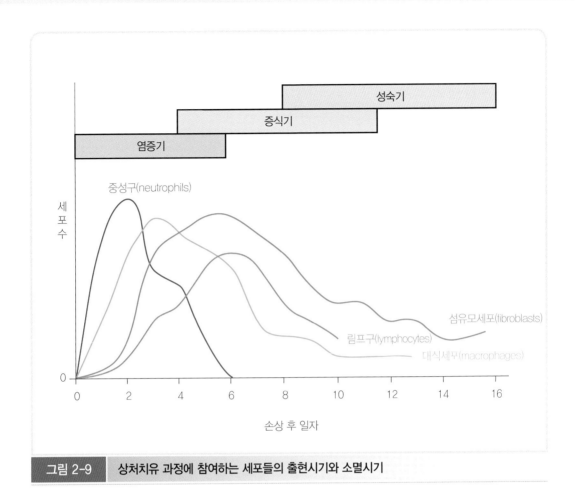

| 그림 2-9 | 상처치유 과정에 참여하는 세포들의 출현시기와 소멸시기 |

Point

염증기에는 정상적으로 홍반, 부종, 열감, 통증, 삼출물 등의 증상이 나타난다. 그러나 이 시기가 아닌 경우 이와 같은 증상이 나타나면 감염을 의심할 수 있으므로 대상자를 주의 깊게 관찰한다.

2) 증식기(Proliferative phase)

(1) 육아조직(granulation) 형성

- 신생혈관 형성(angiogenesis): 상처주위의 건강한 조직은 혈액, 영양소, 섬유모세포, 단백질 등 그 외 구성 성분들을 결손 부위에 공급함으로써 새로운 모세혈관들이 상처의 중심을 향해 뻗어나 간다.

- 콜라겐 합성(collagen synthesis): 섬유모세포의 상처 내 유입은 상처 후 2~3일에 시작되어 2~3주 간 점차적으로 증가하여 새로운 붉은 육아조직을 형성한다(그림 2-10).

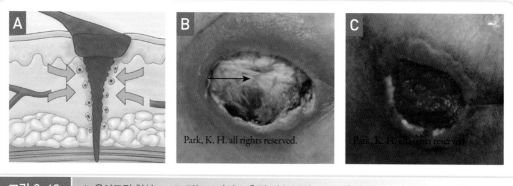

그림 2-10　A. 육아조직 형성　B. 건(→)이 노출된 결손 부위　C. 육아조직이 잘 형성되고 있음

(2) 수축(contraction)

- 근섬유모세포(myofibroblast)로 인해 상처주변의 피부와 조직이 서로 잡아 당겨져서 결손된 부분의 크기가 감소된다(그림 2-11).

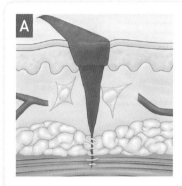
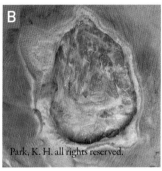
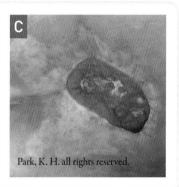

그림 2-11	A. 수축 B. 수축 전 C. 수축 중(3개월 후)

(3) 상피화(epithelization)

- 상처의 가장자리로부터 상피세포의 이동이 일어나 손상된 부분을 덮는 과정이다. 얇은 부분층 피부 손상인 경우 상피세포 이동은 콜라겐 합성과 거의 동시에 일어나지만(그림 2-12 B), 깊은 전층 피부 손상에서는 육아조직이 완전히 생성될 때까지 지연된다(그림 2-12).

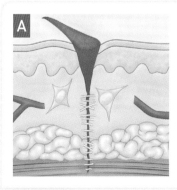
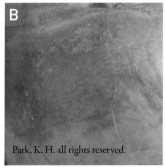
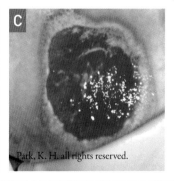

그림 2-12	A. 상피화
	B. 진피재생과 함께 상피화가 완료된 부분층 피부손상
	C. 육아조직이 채워지면서 가장자리에서부터 상피화가 진행 중인 전층 피부손상

3) 성숙기(Maturation phase)

- 콜라겐 분해와 합성이 동시에 일어나는 과정으로, 합성된 섬유들로 대체되며 최대의 신장력을 가진 흉터를 남긴다.
- 흉터조직의 신장력은 상처가 발생하기 전의 신장력에 비해 최대 70~80%이므로 다시 손상을 받을 위험이 있다.
- 이차유합에 의한 흉터 크기는 주로 증식기의 수축 과정에 의해 원래 상처 크기의 10% 정도가 된다 (그림 2-13, 2-14).

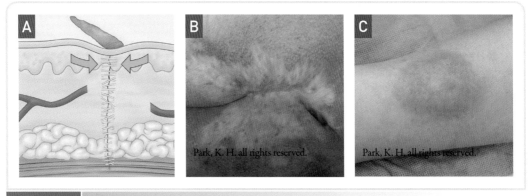

그림 2-13   A. 성숙기   B, C. 흉터를 남기면서 상처가 완전히 치유됨

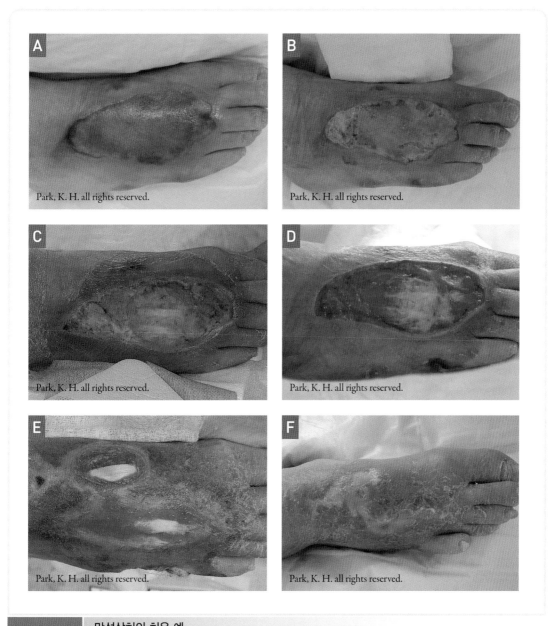

그림 2-14 만성상처의 치유 예

A. 치료 전(염증기)　　　B. 치료 3일 후(염증기)　　　C. 치료 1주 후(염증기)

D. 치료 2주 후(증식기)　　E. 치료 2개월 후(증식기)　　F. 치료 4개월 후(성숙기)

4. 상처치유의 실패

표 2-2	상처치유의 실패		
증상	**원인**	**중재**	
상처기저부(wound bed)			
지나치게 건조함	• 세포와 조직이 공기 중에 노출 • 습윤 드레싱 유지	• 규칙적으로 습기 제공 • 습윤 드레싱 유지	

2주 동안 상처의 크기 또는
깊이에 변화가 없음
	• 압박, 손상
	• 영양결핍, 혈액순환 부족, 습윤
	  부족
	• 불충분한 통증조절
	• 감염
		• 상처치유를 지연하는 국소 또는 전신적인 문제를 확인
		  하기 위해 환자를 재사정하고 중재	

상처의 크기 또는 깊이 증가	• 괴사조직 제거 • 지나친 압력으로 인한 허혈, 혈액 순환 부족 • 감염	• 괴사조직 제거에 의한 것은 중재가 필요 없음 • 감염이 원인이면 국소 또는 전신적인 항균제 투여 고려	
괴사(necrosis)	• 허혈	• 남은 조직의 혈액순환이 잘되면 괴사조직 제거	

삼출물의 양 증가 및
색의 변화
	• 자가분해 및 효소활용 괴사조직
	  제거
	• 감염
		• 자가분해나 효소를 활용하여 괴사조직을 제거했기 때문
		  이라면 중재가 필요하지 않음
		• 괴사조직 제거가 원인이 아니면 감염을 확인하기 위해
		  상처를 사정	

동로(sinus tract, tunneling)	• 뼈 돌출부위의 압력 • 이물질 존재	• 상처를 압력으로부터 보호 • 동로를 세척하고 이물질 유무를 관찰 • 동로가 감소하지 않으면 만성상처감염이나 악성 종양의 잠재성을 사정하기 위해 조직검사 실시	
상처가장자리(wound edge)			
붉고 뜨거운 피부: 압통, 경화	• 지나친 압력이나 감염에 의한 • 염증	• 상처를 압력으로부터 보호 • 24시간 이내에 염증이 해결되지 않으면 국소 항균 치료제 를 적용할 수 있음	
짓무름(침연, maceration)	• 지나친 습기	• 피부보호필름이나 바셀린 연고 등을 적용 • 삼출물이 많은 경우 흡수성 드레싱제 적용	
닫힌 상처가장자리	• 상처기저부의 지나친 건조	• 습윤 드레싱제 부착 • 1주가 지나도 해결되지 않으면 가장자리의 조직 제거 가 필요	
잠식 또는 상처주위 피부의 반상출혈	• 지나친 전단력	• 상처를 전단력으로부터 보호 • 특히 좌위, 반좌위 시 주의해서 피부를 관찰	

5. 상처치유에 미치는 요인

표 2-3	상처치유에 미치는 요인
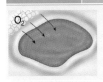 조직의 산소농도	• 상처치유에 관여하는 세균탐식과정, 콜라겐 합성과 섬유모세포 분화에 중요하다.
심리적 상태	• 스트레스 반응에서 나타나는 심리적 상태로서 카테콜아민, 노어에피네프린, 에피네프린은 혈관을 수축하며 말초조직에 도달하는 산소의 양이 감소한다. 아드레날린은 과도하게 분비되어 칼론(chalone)의 생성을 증진하며, 칼론은 표피세포의 재생을 방해한다.
노화	• 노화된 피부는 표피의 재생시간이 길고, 피부가 손상받을 가능성이 높을 뿐 아니라 노인은 영양상태가 좋지 않고 심혈관질환이나 폐질환을 함께 갖고 있는 경우가 많아 상처치유에 방해 요인이 된다.
영양결핍	• 상처치유 과정과 면역반응은 단백질, 비타민 등의 다양한 영양소의 적당한 공급이 필요하다. 단백질 섭취가 부족하면 신생혈관 형성, 림프액 형성, 섬유모세포 증식, 콜라겐 합성 등의 과정을 방해한다.
약물	• 스테로이드는 염증 반응을 억제할 뿐 아니라 모세혈관의 형성, 섬유모세포의 증식을 방해하고 단백질 합성과 상피세포의 성장을 감소한다.
흡연	• 니코틴은 혈관수축제로 작용하여 혈소판의 응고를 유발하고 조직의 산소화에 영향을 미친다. 담배에 포함된 독소인 일산화탄소(carbon monoxide)는 헤모글로빈과 결합하는 능력이 산소의 200배 이상이므로 산소가 상처에 도달하는 것을 방해하고 사이안화수소(hydrogen cyanide)는 산소 운반에 필요한 효소의 작용을 방해한다.
당뇨병	• 당뇨병환자는 죽상경화증(atherosclerosis)을 잘 동반하여 큰 혈관뿐 아니라 작은 혈관의 미세혈류 장애로 조직내 허혈증이 있고, 신경장애로 인한 반복되는 외상과 감염 등이 잘 생긴다. 특히 고혈당은 콜라겐 축적에 필요한 아스코르빈산이 세포로 이동하는 것을 방해하여, 결체조직의 생성이 저하되어 상처의 장력이 감소한다. 또한 백혈구의 기능을 약화하므로 세균에 대한 방어력이 감소하여 염증반응을 약화한다.
감염	• 대표적인 만성상처인 욕창과 관련된 감염성 합병증은 패혈증(sepsis)과 골수염(osteomyelitis)이다. 괴사조직을 제거하고 적절히 삼출물을 배액하고 항생제를 투여하는 것만이 감염을 조절하는 방법이다.
국소적 치료	• 국소적 치료는 상처표면 환경에 영향을 미치는 것으로 상처 세척과 드레싱이 포함된다. 과거에는 상처를 강하게 세척하고 소독제를 무분별하게 사용하며, 공기에 노출하고 건조한 드레싱제를 적용하였으나, 최근에는 습윤 상처치유 환경이 상처치유를 촉진하는 것으로 알려져 있다.

3

그림으로 보는

상처사정

3 그림으로 보는 상처사정

상처의 사정은 상처의 현 상태나 치유과정에 대한 객관적인 평가를 토대로 상처의 호전과 악화 정도를 판단하고 상처관리 방법을 결정하기 위해 매우 중요하다.

1. 위치

상처의 위치(wound location) 사정은 의료진 간의 정확한 의사소통을 위해 필요하고, 위치 자체가 치유과정에 영향을 줄 수 있기 때문에 중요하다(그림 3-1).

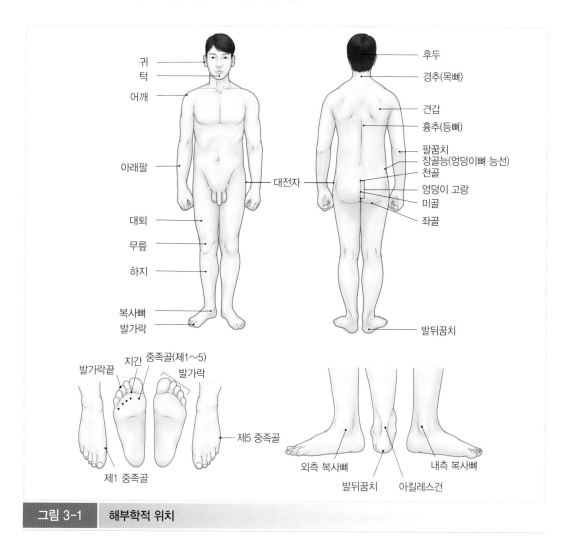

그림 3-1 해부학적 위치

33

2. 크기

상처의 크기(wound size) 사정은 상처치유나 악화 정도를 평가하는 데 유용하다.

1) 상처의 길이(L)와 폭(W) 측정

- 자를 이용하여 이차원적으로 상처를 간단히 측정하는 방법이다.
- 상처의 크기를 측정하는 것은 지속적으로 상처 크기를 비교하는 데 의의가 있으므로 동일한 상처는 일정한 방법으로 측정하는 것이 중요하다.
- 상처의 모양이 불규칙한 경우에도 측정이 가능하여 최근에 추천되고 있는 측정 방법은 상처의 최대 길이(length, L)를 재고 그 최대 길이와 직각인 최대 폭(width, W)을 측정하는 방법이다. 상처가 치유되면서 상처의 가장자리에서부터 크기가 줄어드는 것을 가장 민감하게 반영하여 상처치유 정도를 비교할 수 있는 방법이다(그림 3-2 A).
- 상처의 모양이 둥글거나 타원형으로 비교적 규칙적인 경우에는 머리에서 발끝 방향의 최대 길이를 재고 그 최대 길이와 직각인 최대 폭을 측정하는 방법이 있다(그림 3-2 B).
- 기록은 길이(최대 길이)×폭(최대 길이와 직각인 최대 폭)으로 기술한다(그림 3-2).

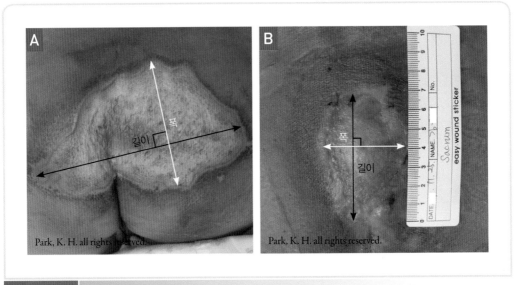

| 그림 3-2 | A. B. 상처의 길이와 폭 측정 |

2) 상처의 깊이(D) 측정

- 공동(cavity)과 같이 깊이(depth, D)가 있는 상처는 길이와 폭을 포함하여 자, 압설자, 면봉 등을 이용하여 깊이를 측정한다.
- 기록은 길이(최대 길이)×폭(최대 길이와 직각인 최대 폭)×깊이(피부표면과 수직인 최대 깊이)로 기술한다(그림 3-3).

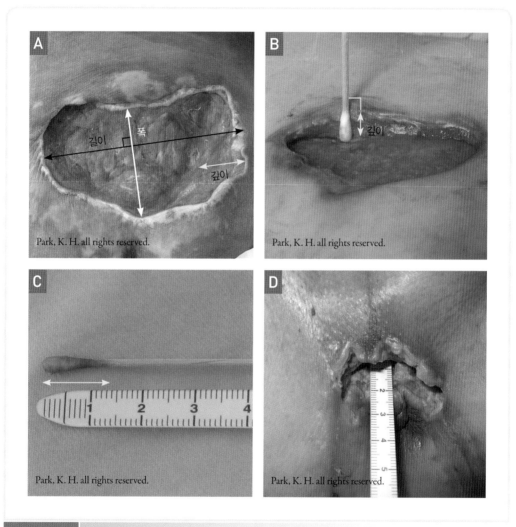

그림 3-3	A. 상처의 길이와 폭, 깊이 측정 B. 면봉으로 깊이를 측정
	C. 면봉에 묻은 삼출물을 통해 별도의 자로 깊이를 측정
	D. 상처측정자를 활용하여 직접 깊이를 측정하는 모습

3) 상처의 잠식(Undermining) 측정

- 잠식(용어 정의 참조)의 위치는 대상자의 머리 방향을 12시로 하여 시계방향으로 표시하고, 자를 이용하여 길이를 측정하며 기록은 다음과 같이 한다(그림 3-4).

  (예) 상처 크기는 2×2×0.5cm이며, 잠식은 12시에서 12시까지 모든 방향으로 있으며, 2시 방향에 12cm, 8시 방향에 6cm, 12시 방향에 3cm의 잠식이 있다(그림 3-4 A, B).

  (예) 상처 크기는 3×2.5×1cm이며, 9시부터 2시 방향으로 3cm의 잠식이 있다(그림 3-4 C).

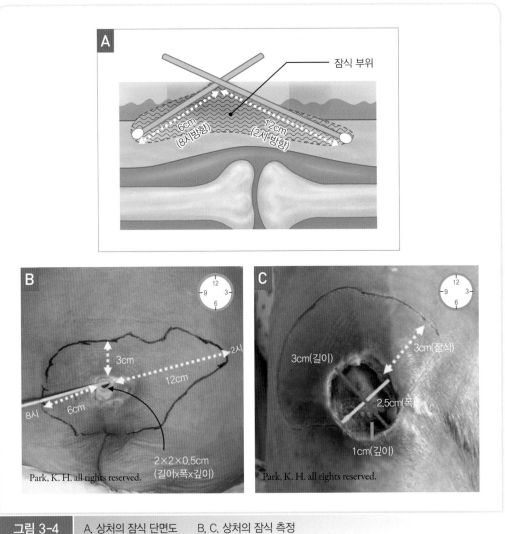

| 그림 3-4 | A. 상처의 잠식 단면도　　B, C. 상처의 잠식 측정 |

4) 상처의 동로(Sinus tract, Tunneling) 측정

- 동로(용어 정의 참조)의 위치는 대상자의 머리 방향을 12시로 하여 시계 방향으로 표시하고, 자를 이용하여 길이를 측정하며 기록은 다음과 같이 한다(그림 3-5).

  예 상처 크기는 12×10cm이며, 5시 방향으로 4cm의 동로가 있다(그림 3-5 A, B).

  예 상처 크기는 7×3×1cm이며, 12시 방향으로 7cm의 동로가 있다(그림 3-5 C).

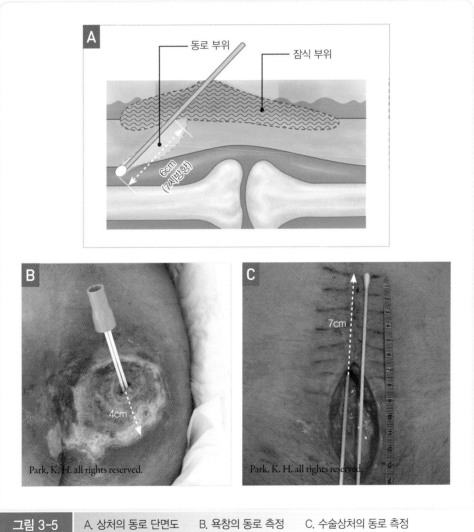

A. 동로 부위   잠식 부위

6cm (7시방향)

B
4cm
Park, K. H. all rights reserved.

C
7cm
Park, K. H. all rights reserved.

그림 3-5   A. 상처의 동로 단면도   B. 욕창의 동로 측정   C. 수술상처의 동로 측정

5) 상처 본뜨기(Tracing)

- 불규칙한 모양의 상처는 투명한 필름을 이용하여 본뜨기를 함으로써 상처의 크기를 측정할 수 있다 (그림 3-6).

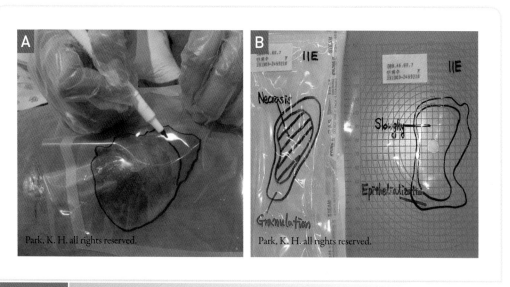

| 그림 3-6 | A. 투명필름을 이용한 상처 본뜨기   B. 본뜨기한 투명필름에 조직의 형태를 구분하여 표시한 모습 |

3. 조직손상 정도

1) 부분층 피부손상(Partial thickness wound)

- 표피, 진피의 일부가 손상되더라도 진피의 동일한 세포(identical cell)가 남아 있으므로(❶ ❷ ❸ ❹) 흉터가 형성되지 않으며 조직이 재생(regeneration)된다.
- 조직이 손상된 지 24시간 내에 급성 염증반응이 일어나고 상피세포의 이주가 시작되면서 표피의 재생이 일어나고, 신생혈관과 아교질이 생성되어 진피세포의 재생도 일어난다(그림 3-7).

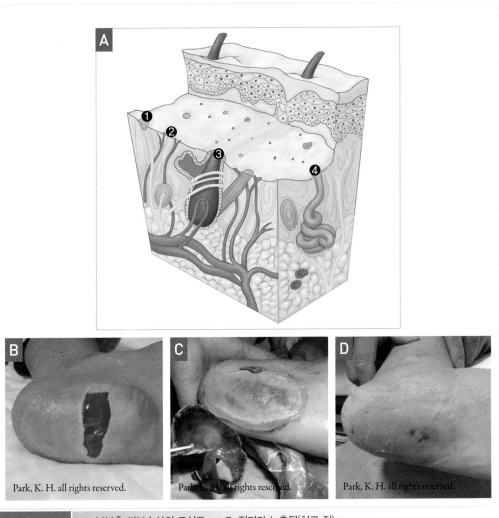

그림 3-7	A. 부분층 피부손상의 모식도 B. 진피가 노출됨(치료 전)
	C. 제거된 표피 아래로 새로운 상피조직이 일부 자라고 있음(치료 1주 후)
	D. 손상된 조직이 완전히 재생됨(치료 2주 후)

2) 전층 피부손상(Full thickness wound)

- 표피, 진피가 전부 손상되고, 피하조직 또는 근막, 근육까지 손상되어 진피에 있는 구조물(혈관, 땀샘, 피지샘, 신경 등)이 없어지게 되며, 이 부분은 육아조직이라는 다른 조직(different tissue)으로 채워져 복구(repair)가 일어나며 흉터가 형성된다(그림 3-8).

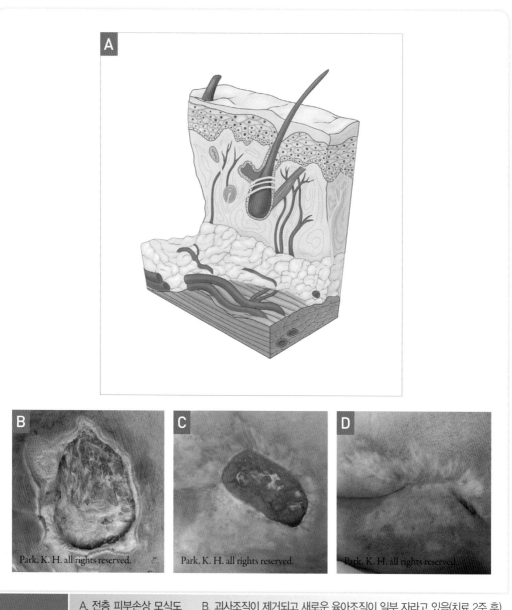

그림 3-8	A. 전층 피부손상 모식도　　B. 괴사조직이 제거되고 새로운 육아조직이 일부 자라고 있음(치료 2주 후)
	C. 상처의 크기가 줄어들고 있음(치료 3개월 후)　　D. 손상된 조직이 완전히 복구됨(치료 5개월 후)

4. 기저부의 색깔

상처기저부(wound bed)를 색깔(color)로 기술하는 것은 상처의 상태를 간단하게 표현할 수 있는 방법이지만 상처 상태를 너무 단순화할 수 있으므로 평가 시 상처의 다른 특성을 반드시 고려해야 한다(그림 3-9).

- 분홍색(pink, P): 재상피화 조직(reepithelization tissue)으로 깨끗하다(그림 3-9 A).
- 붉은색(red, R): 육아조직(granulation tissue)으로 대부분 촉촉하고 깨끗하고 단단하다(그림 3-9 B). 단, 만성상처의 육아조직인 경우 오염의 정도를 주의 깊게 관찰한다(표 3-3 참조).
- 노란색(yellow, Y): 부드러운 괴사조직(부육, slough)으로 세균이 증식할 수 있다(그림 3-9 C).
- 검은색(black, B): 단단하고 건조한 괴사조직(가피, eschar)으로 세균이 증식할 수 있고 상피의 이동을 방해한다(그림 3-9 D).

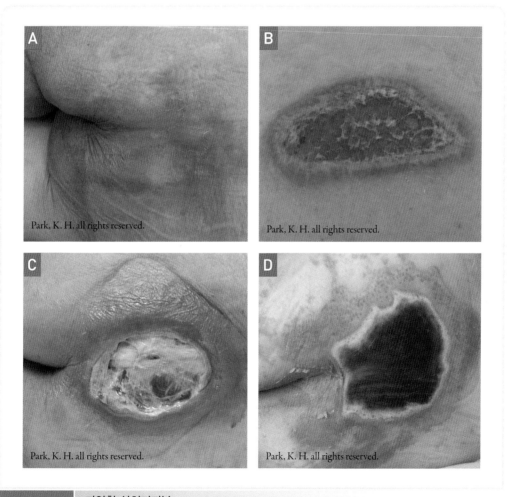

그림 3-9 다양한 상처기저부

A. 분홍색 재상피화 조직　　B. 붉은색 육아조직　　C. 노란색 괴사조직　　D. 검은색 괴사조직

Point

- 청결한 분홍색(재상피화)과 붉은색(육아형성)의 상처기저부는 습윤하고 깨끗하게 유지하고, 노란색(부육)과 검은색(가피) 등의 괴사조직은 금기가 아닌 경우 제거한다.

- 사진과 같이 혈액순환 좋지 않은 괴사조직은 미생물의 침입을 막을 수 있는 보호막 역할을 하므로 제거하지 않고 깨끗하고 건조하게 유지하면서, 상처기저부가 노출되지 않는 범위에서 사진과 같이 지속적으로 다듬으면 괴사조직 아래에서 미생물이 성장하는 것을 어느 정도 방지할 수 있다.

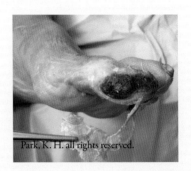

5. 가장자리

- 개방된 상처가장자리(open wound edge): 개방된 전층손상인 경우 가장자리에서 세포의 이동이 쉽게 되어 재상피화가 잘 일어나 상처가 닫히게 된다(그림 3-10 A).
- 폐쇄된 상처가장자리(open wound edge): 만성상처의 가장자리는 새로운 상피세포가 자라지 않고 상피가 안으로 말리면서 울퉁불퉁한 모양이거나(그림 3-10 B) 괴사조직이 가장자리를 덮고 있는 경우(그림 3-10 C)가 있다.

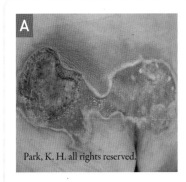
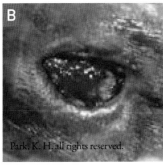
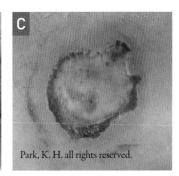

그림 3-10　A. 개방된 상처가장자리　B, C. 폐쇄된 상처가장자리

Point

- 상처가장자리가 폐쇄된 경우 가장 자리를 수술용 칼(blade)로 다듬어 주거나(A), 포셉으로 살짝 뜯어(B), 상처의 가장자리에서 새로운 조직이 나타날 수 있도록 상처가장자리를 개방해준다.

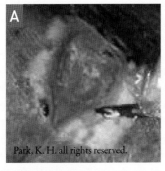
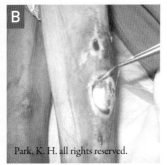

A. 수술용 칼로 다듬기
B. 포셉으로 다듬기

6. 삼출물

- 삼출물(exudate)의 양(amount), 색깔(color), 냄새(odor), 점도(consistency) 등 다양한 특성을 사정한다.
- 양은 적음 또는 소량(scant), 보통(moderate), 많음 또는 다량(large)으로 표현한다.
- 색깔은 장액성(serous type), 혈장성(serosanguinous type), 혈액성(sanguineous type), 화농성(purulent type)으로 나타낸다(표 3-1).

표 3-1	다양한 삼출물의 색깔과 점도

장액성	혈장성	혈액성	화농성
• 물 같은 장액으로 맑고 옅은 노란색	• 장액과 혈액이 섞인 액으로 맑고 밝은 빨간색	• 맑은 혈액으로 붉은색	• 감염된 삼출물로 둔탁하고 불투명한 크림색, 노란색, 녹색, 그을린 색 등 다양
			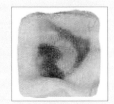

Point

- 폐쇄 드레싱을 적용한 상처인 경우, 괴사조직의 자가분해로 인해 정상적으로 농과 비슷한 색깔과 냄새가 나타날 수도 있으므로, 상처를 정확히 사정하기 위해서는 삼출물을 생리식염수로 세척한 후 상처를 평가한다.

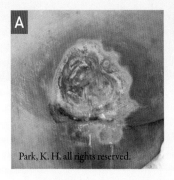
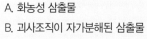
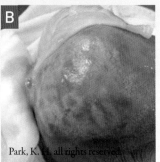

A. 화농성 삼출물

B. 괴사조직이 자가분해된 삼출물

7. 주위 피부

상처주위피부(wound surrounding skin)는 변색(discoloration), 짓무름(침연, maceration), 홍반(erythema), 부종(edema)과 경결(induration), 접촉성 피부염(contact dermatitis), 미란(erosion) 등의 유무를 확인한다 (그림 3-11).

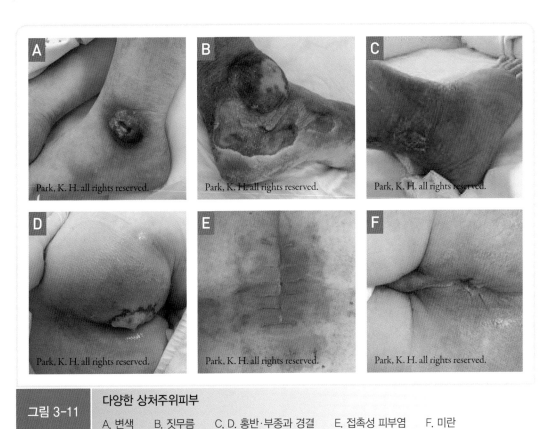

그림 3-11	다양한 상처주위피부
	A. 변색 B. 짓무름 C, D. 홍반·부종과 경결 E. 접촉성 피부염 F. 미란

Point

상처주위의 피부를 사정함으로써 드레싱 재료의 삼출물 흡수 능력을 알 수 있어 적절한 드레싱제 교환 빈도를 평가할 수 있다. 예로 삼출물에 젖어 주위 피부가 짓무른 상태는 드레싱제를 더 자주 교환해야 한다는 것을 시사한다. 또한 경결이나 홍반이 있는 경우는 더 깊은 조직의 손상을 의심할 수 있다.

8. 잠식이나 동로의 유무

전층 피부손상의 경우 하부조직의 잠식(undermining)이나 동로(sinus tract) 등 사강(dead space)이 만들어진 경우가 많으므로 면밀히 평가하여야 한다(표 3-2).

표 3-2	잠식과 동로의 차이

잠식	동로
<ul><li>건강한 피부 아래의 조직이 파괴된 것이다.</li><li>잠식의 입구는 파괴된 상처기저부보다 작다.</li><li>전단력에 의해 상처가장자리가 상처기저부로부터 잡아당겨져서 발생한다.</li><li>동로보다 깊이는 얕다.</li><li>상처가장자리를 따라 발생하여 근막 상부에서 발생한다.</li></ul>	<ul><li>피부표면 혹은 상처가장자리의 작은 영역을 포함하여 조직이 파괴된 것이다.</li><li>상처의 모든 부분에서 발생되며 동굴 같이 좁고 길어 동로의 입구는 개방되어 있으나 동로의 대부분은 보이지 않는다.</li><li>보통 열개된 외과상처(dehisced surgical wound)와 신경병증성 상처, 동맥성 상처에서 볼 수 있다.</li><li>보통 근막 하부에서 발생한다.</li><li>농양(abscess)을 형성한다.</li></ul>

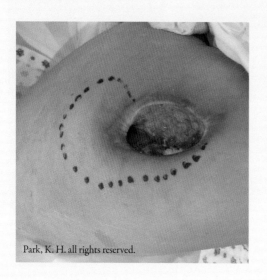

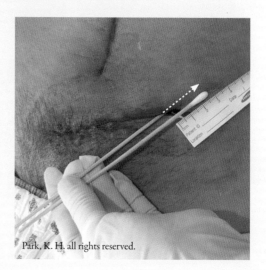

9. 이물질 존재의 유무

봉합사와 같은 이물질이 개방상처 내에 존재하는 경우가 있다. 급성상처 관리 시 상처 내에 남아 있는 봉합사 등은 치유과정을 방해하므로 제거해야 한다.

10. 상처보유 기간

- 급성상처(acute wound): 새롭게 갑자기 발생된 상처로 상처치유 과정이 지연되지 않고 진행되며, 대표적으로 수술상처와 화상 등이 속한다(그림 3-12).
- 만성상처(chronic wound): 상처가 발생한 후 일정한 시간이 지나 상처치유 과정이 지연되는 상처로 욕창, 악성종양, 동맥성 궤양, 정맥성 궤양, 당뇨병성 족부궤양, 반복되는 습기관련 피부손상 등이 속한다(그림 3-13).

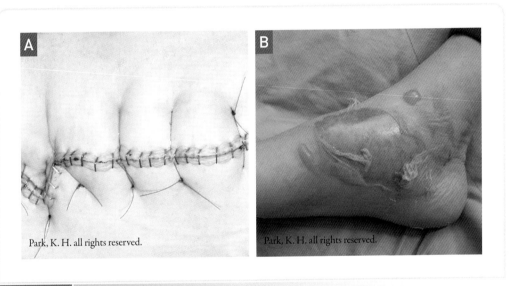

그림 3-12	**급성상처의 예** A. 수술 상처 B. 화상

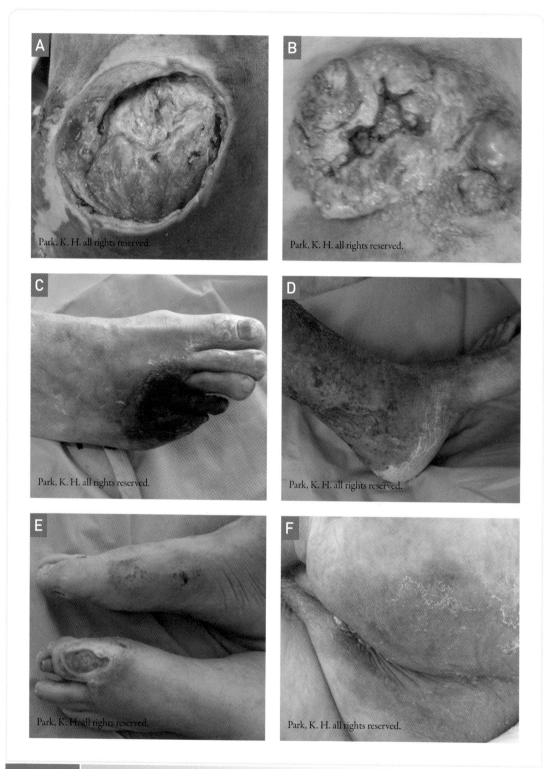

그림 3-13	만성상처의 예
	A. 욕창 B. 악성종양 C. 동맥성 궤양 D. 정맥성 궤양 E. 당뇨병성 족부궤양 F. 습기관련 피부손상

11. 감염의 증상

1) 미생물의 집락 정도에 따른 감염과 오염의 구분

상처감염을 오염(contamination), 집락화(colonization), 중증집락화(critical colonization), 감염 (infection)의 4단계로 분류하였으나, 2016년에 International Wound Infection Institute(IWII)에서 는 오염, 집락화, 국소감염(local infection), 진행성감염(spreading infection)과 전신감염(systemic infection)의 5단계로 제시하였다(그림 3-14).

(1) 오염(contamination)

- 상처표면에 미생물(microorganism)이 존재하나 증식하지 않으며, 숙주에게 임상적인 반응이 일어 나지 않는 상태이다. 대부분의 개방된 상처표면이 미생물로 오염되어 있는 것은 피할 수 없다. 미생물 이나 이물질이 존재하는 자체만으로 반드시 감염이 되는 것은 아니다.

(2) 집락화(colonization)

- 상처표면에 미생물이 상주하여 제한적으로 증식하나, 숙주에게 임상적인 반응을 일으키거나 조직 의 손상은 없는 상태이다. 상처치유 과정이 지연되거나 방해받지 않는다. 오염과 마찬가지로 항균제 의 사용이 요구되지 않는다.

(3) 국소감염(local infection)

- 미생물이 상처 깊이 침투하여 증식한 것으로 숙주에게 임상적인 반응을 일으키며 조직의 손상이 있는 상태이다. 특히 만성상처에서는 뚜렷한 감염증상뿐 아니라 모호한 증상이나 징후가 관찰될 수 있다. 뚜렷한 전형적인 감염증상으로는 홍반(erythema), 열감(heat), 부종(edema), 화농성 삼출 물(purulent exudate), 상처치유의 지연이나 상처 크기의 증가, 새로운 통증 또는 냄새의 발생 및 상처 악화 등이 나타날 수 있다. 모호한 비전형적인 감염증상으로는 육아조직이 과도하게 증식하 거나(hypergranulation) 연약하고 쉽게 출혈되고(표 3-3 G, H, I) 상처 내부에서 육아조직이 골고루 차오르지 못하고 사강(dead space) 같은 빈 공간을 남겨두고 그 주변으로 육아조직이 자라 주머니 모양(pocketing)을 형성하거나(표 3-3 O) 일부 부위에서만 육아조직이 자라 다리 모양(bridging)을 형성한다(표 3-3 P). 상처치유 과정이 비정상적으로 지연되거나 상처의 표면과 육아조직의 변색 소견(표 3-3 J, K, L) 등도 나타날 수 있다(표 3-3).

(4) 진행성감염(spreading infection)

- 감염성을 가지는 미생물이 상처주위의 정상조직으로 침투하여 상처의 범위를 넘어 증식하는 상태 이다. 깊은 연조직, 근육, 근막 또는 신체장기까지도 침범될 수 있다. 임상증상으로는 홍반과 경화,

통증의 증가, 위성병소(satellite lesion), 림프관염(lymphangitis), 림프절염(lymphadenitis)이 나타날 수 있으며, 감염 부위를 누르면 마찰음(crepitus)을 느낄 수 있다. 식욕저하, 권태감과 무기력, 비특이적으로 전신상태 저하 등의 증상이 동반될 수 있다(표 3-3 R).

(5) 전신감염(systemic infection)

- 상처감염을 일으킨 미생물이 혈관이나 림프계를 통해 퍼져 전신적으로 영향을 미치는 상태이다. 이 단계에서는 발열, 빈맥, 빈호흡과 같은 전신염증반응증후군(systemic inflammatory response syndrome, SIRS), 패혈증, 패혈성 쇼크, 장기부전 등이 나타난다.

Point

- 상처 크기가 줄어들지 않거나 삼출물이 증가하는 등, 상처치유의 지연을 나타내는 증상들은 국소감염의 첫 번째 증상일 수 있다.

바이오필름(biofilm)

- 보통 만성상처는 여러 종류의 세균에 의해 감염되는 경우가 흔한데, 이 세균들이 생존과 성장을 위해 같은 물리적인 환경 내에서 서로 밀접하게 관계를 맺고 상호작용하면서 살아가는 세균들의 모임(집락)을 바이오필름이라고 한다. 바이오필름을 형성한 세균들은 항균제 치료에 저항성이 있기 때문에 만성염증에서 감염으로 진행된다. 그러므로 만성상처에서 바이오필름이 형성되지 않도록 조기에 감염을 치료하는 것이 중요하다(그림 3-14 참조).

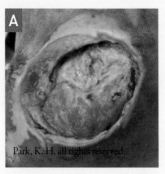 

바이오필름이 형성된 만성상처의 예
A. 욕창
B. 허혈성 하지궤양

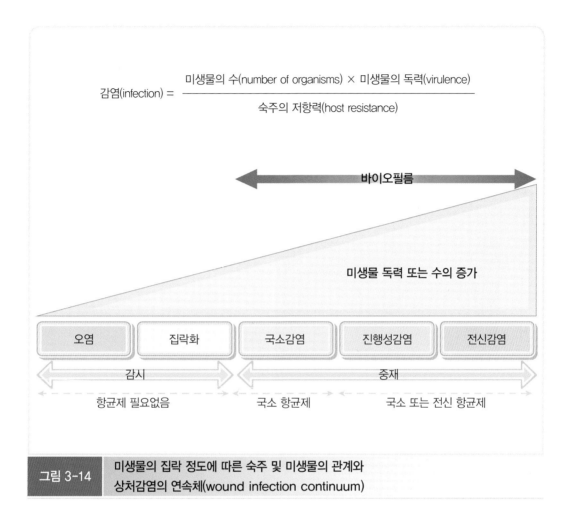

$$감염(infection) = \frac{미생물의\ 수(number\ of\ organisms) \times 미생물의\ 독력(virulence)}{숙주의\ 저항력(host\ resistance)}$$

바이오필름

미생물 독력 또는 수의 증가

| 오염 | 집락화 | 국소감염 | 진행성감염 | 전신감염 |

감시   중재

항균제 필요없음   국소 항균제   국소 또는 전신 항균제

그림 3-14 미생물의 집락 정도에 따른 숙주 및 미생물의 관계와 상처감염의 연속체(wound infection continuum)

2) 상처감염의 핵심 요인

- 감염은 상처표면이 아니라 살아있는 조직 내에서 발생하며, 상처 내 괴사조직·가피·조직파편에는 감염이 발생하지 않는다.
- 감염은 미생물의 침입과 증식에 의해 일어난다.
- 염증은 조직손상을 일으키지 않지만, 감염은 숙주 반응 혹은 조직손상 을 일으킨다.
- 전형적인 감염 증상은 홍반(erythema), 부종(edema), 열감(heat), 통증(pain), 화농성 삼출물 (purulent exudate) 등이다(그림 3-15).

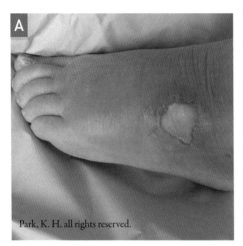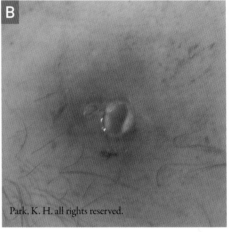

그림 3-15	A. 온전한 피부에 열감, 홍반, 부종, 통증이 있고 화농성 삼출물은 상처 내에 고여있는 상태
	B. 온전한 피부에 열감, 홍반, 부종, 통증, 화농성 삼출물이 있음

3) 상처감염 징후

표 3-3			상처의 국소적 및 전신적 감염	
국소 감염	급성 상처 A B C	진단	• 농양 • 삼출물 증가	• 연조직염(cellulitis) • 괴사
		증상	• 홍반, 부종, 열감, 통증, 화농성 삼출물	
	만성 상처	명백한 징후 D E F	• 홍반, 부종, 열감, 통증, 삼출물 증가, 독특한 냄새, 뼈까지 공동이 있는 경우	
		모호한 징후	• 상처치유의 지연 • 새로운 부위의 손상 • 통증의 증가나 새로운 통증 • 육아조직의 변화 – 출혈이 되는 약한 조직 G H I 　　　　　　　 – 검붉은 색 J 　　　　　　　 – 탁하고, 녹색빛이 도는 조직 K L 　　　　　　　 – 다양한 크기의 조약돌이 불규칙하게 모여있는 양상 M N 　　　　　　　 – 주머니(pocket) 또는 다리(bridge) 모양 O P • 삼출물의 변화: 장액성에서 화농성으로 변함 Q	
전신 감염		징후 R	• 백혈구증가증(leukocytosis) • 패혈증	• 발열(pyrexia) • C–반응단백질(CRP) 수치 상승

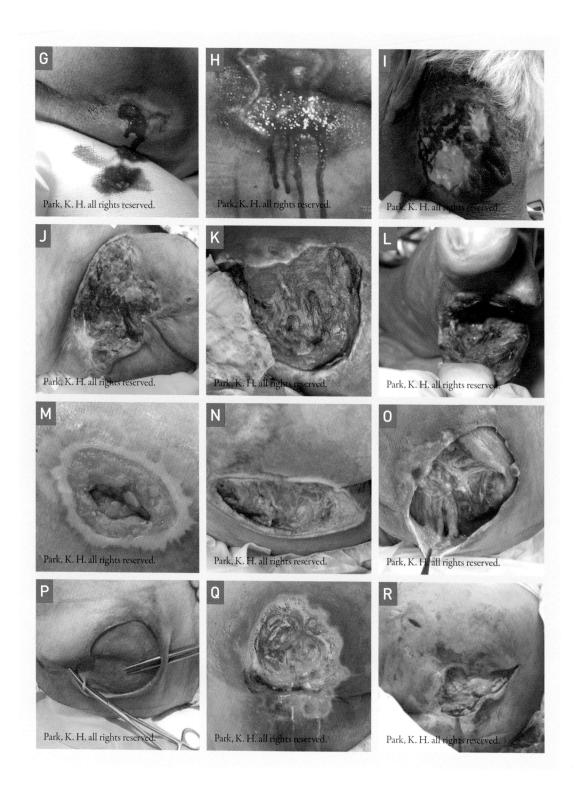

4) 만성상처의 국소감염 측정 도구

표 3-4	국소감염된 만성상처의 임상적 증상과 징후 측정 도구

상처 부위의 통증 증가
- 이전에 느꼈던 통증보다 더 심하게 느끼며, 통증이 증가하고 있음을 뜻한다.
- 환자가 질문에 답을 할 수 없다면, N/A라고 기입한다.

홍반
- 상처인접 부위에 정상 피부와 달리 밝거나 어두운 붉은빛의 피부가 있다면 홍반을 의미한다.

부종
- 상처가장자리에서 4cm 이내의 빛나며 움푹 팬 피부는 부종을 의미한다.
- 상처가장자리에서 4cm 이내 부위를 손가락으로 눌러 본 후, 5초 이후의 패인 정도(pitting edema)를 확인한다.

열감
- 상처가장자리의 4cm 이내와 10cm를 비교해 보았을 때, 명백한 체온의 차이가 있다면 열감이 있는 것이다. 측정자의 손등 혹은 손목을 이용해 피부의 온도 차이를 사정한다.

화농성 삼출물
- 상처를 세척하고 1시간이 지난 후, 건조한 거즈에 갈색이나 크림색, 노랗거나 초록색의 끈적한 삼출물이 묻어난다면, 화농성 삼출물을 의미한다.

혈액성 삼출물
- 상처를 세척하고 1시간이 지난 후 건조한 거즈에 혈액이 묻어난다면, 혈액성 삼출물을 의미한다.

장액성 삼출물
- 상처를 세척하고 1시간이 지난 후, 맑고 물 같은 삼출물이 묻어난다면, 장액성 삼출물을 의미한다.

상처치유의 지연
- 4주의 치료 경과 동안 상처 크기나 표면적에 차이가 없는 경우, 상처치유의 지연을 의미한다.
- 상처에 조직이 형성되었는지, 4주 전과 비교하여 크기가 줄어들었는지 질문한다.

육아조직의 색깔 변화
- 주변의 건강한 조직과 달리, 육아조직이 창백하고 거무스름하거나 탁한 색깔로 변화하였는지 확인한다. 정상적인 밝은 붉은육아조직과 비교하여 기록한다.

연약한 육아조직
- 멸균 면봉으로 상처를 부드럽게 문질렀을 때 육아조직에서 피가 난다면, 연약한 육아조직을 의미한다.

상처표면의 주머니(pocket) 형성
- 견고한 붉은 육아조직(beefy red granulation)으로 둘러싸인 매끈한 비과립성 주머니(nongranulating pockets)를 형성한다.

악취
- 상처조직이 부패해 불쾌한 냄새를 낼 수 있다.

상처손상(wound breakdown)
- 이차적 손상이나 외상 없이 새롭게 상피화된 조직이 다시 개방(open)된 경우, 상처손상을 의미한다.

5) 상처감염과 염증의 구분

표 3-5	상처감염과 염증의 특징	
특징	감염	염증
발생 원인	• 신체의 조직 내로 병원체(세균이나 바이러스와 같이 병을 일으키는 미생물 등)가 침입 및 증식하여 국소적으로 세포손상을 일으키는 것 • 감염 시 염증반응이 나타남	• 병원체, 자극원과 같은 해로운 자극에 대한 생물학적 반응 • 감염에 대한 신체 반응 • 해로운 병원체, 자극원을 제거하고 손상을 국소화하고 손상된 부위를 정상적으로 되돌리려는 방어반응
홍반(erythema)	• 경계 불분명 • 피부 변색 : 분명	• 경계 : 분명 • 피부 변색 : 불분명
열감(heat)	• 전신 발열	• 상처주위피부의 열감
부종(edema)	• 상처 부종 및 경결(induration)	• 상처가장자리의 단단함
삼출물(exudate)과 냄새(odor)	• 냄새 : 악취 • 양 : 보통 중정도에서 다량 지속 • 색 : 장액성, 장액농성, 화농성	• 냄새 : 괴사조직이 있는 경우 • 양 : 보통 소량 • 색 : 혈액성, 혈장성, 장액성
통증(pain)	• 지속적임	• 다양함
조직 손상 (tissue damage)	• 있음	• 없음

A. 감염

B. 염증

Point

전신감염은 국소감염 증상에 고열(fever), 권태감(malaise), 관절통(aching joints), 백혈구증가증(leukocytosis)이 동반된다.

6) 감염의 진단

(1) 배양검사 적응증
- 감염의 증상과 징후가 있어 감염이 의심된다.
- 상처치유에 진전이 없다.
- 화농성 배액이 되거나 뚜렷한 이유 없이 많은 양의 삼출물이 있다.

(2) 배양검사의 검체 채취 방법
검사 결과에 따라 항생제의 선택이나 투여기간이 결정되기 때문에 정확한 방법으로 채취하여 결과의 신뢰도를 높이는 것이 중요하다.

조직생검(tissue biopsy)이나 농흡인(pus aspiration) 방법
- 죽은 조직이나 상처표면이 아닌 살아있는 심부조직에서 시행하는 배양검사로서, 상처에 침범한 세균을 알 수 있는 가장 적합한 방법이다. 그러나 침습적이어서 일반적으로 활용하기에 제한이 따른다.

면봉채취(swab) 방법
- 상처표면의 면봉채취는 균집락화를 형성하는 세균은 알 수 있지만 심부조직 감염은 반영하지 못한다는 한계가 있지만 방법이 간단하여 흔히 사용하고 있다(p.58 Point).

Point 면봉채취 방법

상처기저부가 공기 중에 노출된 개방상처

• Levine 기법: 상처기저부를 생리식염수로 세척한 후 검사한다. 소독 면봉으로 상처의 1cm² 부위에 압박을 가하여 회전하면서 배양한다. **A**

• Z 기법: 상처기저부를 생리식염수로 세척한 후, 상처가장자리를 마사지하여 **B** 상처로부터 나오는 삼출물을 소독 면봉으로 Z 모양을 그리면서 채취한다. **C**

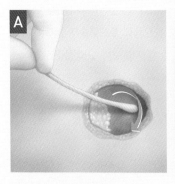 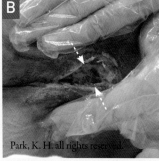 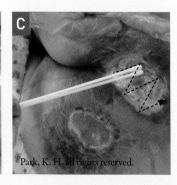

개방상처의 면봉채취 방법
A. Levine 기법
B, C. Z 기법

상처기저부가 공기 중에 노출되지 않은 폐쇄상처

• 상처기저부가 괴사조직으로 덮여있는 경우에 괴사조직을 제거하거나 **A** 절개한 후 **B** 상처를 세척하기 전에 삼출물을 채취한다. **C**

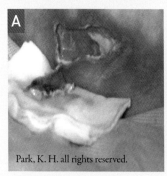 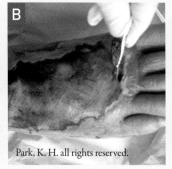 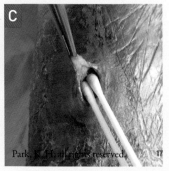

폐쇄상처의 면봉채취 방법

개방상처이면서 공기 중에 노출되지 않은 잠식이나 동로 등이 있는 상처

• 상처를 세척하기 전에 삼출물을 채취한다. **A** **B**

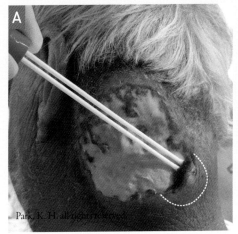
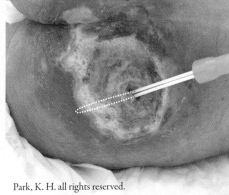

A. 잠식 부위의 면봉채취 방법
B. 동로 부위의 면봉채취 방법

4

그림으로 보는

상처관리

4 상처관리

효과적인 상처관리를 위해서는 대상자의 전신적인 상태의 개선과 함께 상처의 원인을 조절하며, 적합한 국소적인 치료가 필요하다.

1. 상처관리의 목표

상처관리의 근본적인 목표는 치유(healing)이지만(그림 4-1 A), 대상자의 질병이나 전신상태에 따라 상처의 치유보다는 상처의 현 상태를 유지(maintaining)하거나 불편한 증상을 완화하면서 치유를 지연하는 것(delayed healing)이 목표(그림 4-1 B)가 될 수 있다.

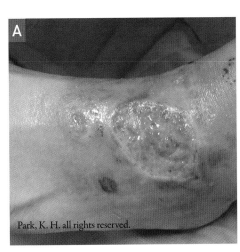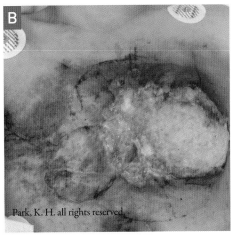

| 그림 4-1 | A. 건강한 대상자의 발등상처 | B. 유방암 대상자의 암상처 |

2. 상처관리의 원칙

1) 상처의 원인을 파악하여 제거하거나 조절

- 대상자의 전반적인 건강상태, 기동성, 감각 정도, 영양상태, 실금 등 일반적인 위험 요인과 상처의 원인이 되는 단서를 찾아 제거하거나 관리한다(표 4-1).

표 4-1		상처의 원인별 호발 부위와 특징 및 관리법		
원인	호발 부위	특징		관리법
압력	• 기동할 수 없는 경우에 뼈 돌출 부위	• 얕거나 깊은 손상		• 적당한 지지면(매트리스, 매트리스 겉깔개, 쿠션 등)을 선택하고 자세변경 스케줄을 만들어 수행하며 압력과 전단력을 감소하기 위한 방법을 적용함
전단력	• 침대나 의자 표면에 닿는 부분	• 얕거나 깊은 손상, 잠식 발생		
마찰력	• 침대나 의자 표면에 노출된 부분	• 표면적 손상		• 대상자를 침상이나 의자에서 끌거나 잡아당기지 않도록 함
화학적 자극	• 소변, 대변, 배액물에 노출된 부분	• 표면적 손상		• 배변 및 배뇨 훈련, 배액물 수집기 부착, 실변관리장치(fecal management system) 삽입 등의 방법을 적용하여 원인물질이 피부에 닿지 않도록 함
습기	• 서로 접촉하거나 마찰이 되는 부위	• 짓무름, 표면적 손상		• 땀이나 배액물이 많이 분비되는 부위는 청결하고 건조하게 유지함
정맥 이상	• 내측 복사뼈	• 착색, 부종		• 정맥성 고혈압을 감소하기 위해 다리를 올리거나 압박요법을 적용함
동맥 이상	• 손·발가락, 손상받은 부위	• 상처주위피부가 차고 창백함, 통증		• 허혈 부위 혈류를 증가시키기 위해 수분을 공급하고 니코틴이나 카페인의 섭취를 줄이며 차가운 곳에 노출되지 않도록 함
신경 이상	• 감각손실이 발생한 부위, 손상이나 압력에 노출된 부위	• 당뇨병 대상자에게 흔함, 비정상적인 걸음걸이와 연관됨		• 둔화된 감각으로 인해 상처가 생기지 않도록 교육을 하거나 보조기를 착용함

2) 상처치유를 지연하는 현재와 잠재적 요인을 감소하기 위해 전신상태를 향상

- 대상자의 심혈관 기능, 폐기능, 영양상태, 수분상태, 상처치유에 영향을 주는 요인 등을 사정한다.
- 사정 결과를 토대로 상처치유를 증진하기 위해 전신상태를 향상시킨다(그림 4-2).
  예 수분을 공급하고 부종이 있는 부위를 올려주거나, 산소 분압이 낮을 경우 직접 산소를 공급하는 등 조직의 산소화를 촉진할 수 있는 것과 영양결핍 교정, 혈당 조절, 스테로이드 투여 대상자에 대한 비타민 A의 투여, 동맥성 궤양의 경우 혈류 개선 등

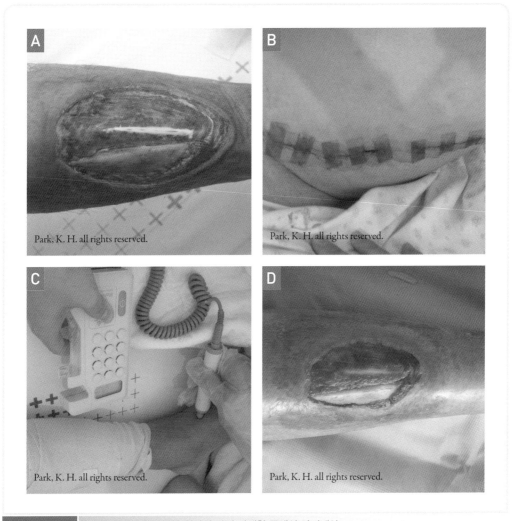

그림 4-2

A. 상처보다 윗부분의 혈관이 막혀 발생한 동맥성 하지궤양

B. 혈관재건술을 시행한 모습

C. 수술 후, 도플러기구를 이용해 상처 아랫부분의 혈류가 증진된 것을 확인하고 있음

D. 상처 크기가 줄어들면서 상처치유가 되고 있음

3) 생리적인 국소 상처치유 환경 유지

(1) 적합한 습윤 상태

- 생리적 상처치유 환경은 상처의 수분 보유 수준에 달려 있는데, 너무 축축하거나 건조하지 않으면서 적당히 습한 상태를 유지하는 것이다. 이를 위해 사용되는 드레싱제는 상처의 과도한 습기를 흡수하거나 건조한 상처에 습기를 주어 적합한 습윤 상태를 유지하도록 한다(그림 4-3).

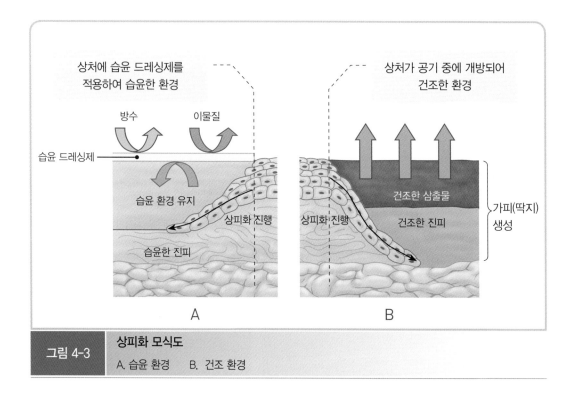

그림 4-3	상피화 모식도
	A. 습윤 환경 B. 건조 환경

Point

- 상처에 습기를 제공하는 것은 습기를 보유하는 것과 동일한 것은 아니다. 식염수에 적신 거즈는 상처에 습기를 제공하기 위해 사용될 수 있지만, 상처를 끊임없이 습윤한 상태로 유지할 수 없으므로 습윤 드레싱제로 여기지 않는다. 필름, 폼, 하이드로콜로이드와 같은 반폐쇄성 드레싱제는 상처를 습윤한 상태로 유지할 수 있다.

(2) 정상 온도

- 대사, 효소성 이화과정, 단백질 합성, 산소화 등의 화학적 반응과 식균 작용, 유사분열 등의 모든 세포 기능은 온도의 영향을 받기 때문에 상처의 온도는 가능한 정상 상태로 유지되어야 한다. 국소적인 저체온증은 상처치유 과정과 면역반응에 좋지 않은 영향을 준다. 이는 혈관수축을 유발하고 헤모글로빈의 산소에 대한 결합력을 증가시켜 세포가 이용할 수 있는 산소량이 감소하고 상처감염의 위험을 높인다. 또한 식균작용이 저하되고, 세포의 이주 능력도 저하된다. 손상된 조직으로부터 습기의 손실을 줄이면서 잦은 교환이 필요 없는 상처 드레싱제를 사용하는 것이 저체온증 해결에 도움이 된다. 폐쇄 드레싱제 및 반폐쇄 드레싱제는 이런 측면에서 상처치유에 유익한 영향을 준다.

Point

- 조직이 노출된 경우 수증기를 상실하거나, 상처가 국소적으로 온도가 떨어지는 현상이 발생할 수 있으며, 잦은 드레싱 교환과 세척 등의 상처관리 등도 국소적인 저체온을 유발할 수 있다.

(3) 미생물의 균형

- 미생물 균형을 이루기 위해서는 괴사조직을 제거하고, 적절하게 상처를 세척하며 감염을 조절한다.

(4) 산도(pH) 유지

- 피부가 손상되어 상처 조직이 경한 알칼리 상태가 되면 미생물이 침입할 위험성이 증가하고 콜라겐분해효소인 기질금속단백분해효소(matrix metalloproteinase, MMP)의 기능이 손상되므로 상처의 산도는 약산성에서 중성 상태를 유지한다.

3. 국소 상처관리

상처관리의 세 번째 원칙인 생리적인 국소상처환경을 유지하는 것으로, 이는 상처치유 과정을 최적화하는 것을 말한다. 따라서 생리적 치유환경을 유지하기 위해 달성해야 할 여덟 가지 목적과 이를 위한 간호중재에 대해 아는 것이 실무에서는 매우 중요하다.

1) 감염의 예방 및 관리

목적

- 상처감염은 염증과정과 콜라겐 합성을 지연시키며 표피세포 이동을 방해할 뿐 아니라 상처를 악화시킬 수 있으므로 예방하고 관리한다(그림 4-4).

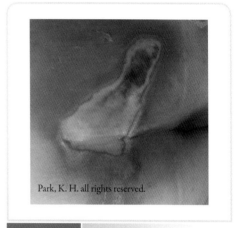

| 그림 4-4 | 감염된 상처 |

중재

- 상처가 외부로부터 오염되지 않도록 미생물의 통과가 어려운 적합한 드레싱제로 상처를 덮는다.
- 감염을 예방하기 위해 드레싱 시 오염되지 않도록 주의한다.
- 상처를 세척하고 괴사조직을 제거한다.
- 필요한 경우 처방대로 항균제를 사용한다.
- 상처주위의 정상조직이 감염되었을 때 국소적으로 항균제를 적용하는 것이 상처표면의 미생물 수를 감소시킬 수 있으나, 괴사조직이나 이미 감염된 상처의 깊은 곳을 통과하여 효과를 낼 수 없으므로 항균제를 전신적으로 사용하는 것을 고려해야 한다.
- 감염이 되었거나 감염이 의심되는 경우에 배양검사의 검체는 오염되지 않은 부위에서 채취하며, 조직생검도 깨끗하고 건강해 보이는 조직에서 시행한다(p.58 Point 참조).

Point

- 대부분의 만성상처는 감염이 아니라 증식하는 세균들이 상처에 많이 모여 세균이 집락화되어 있다. 개방된 상처는 피부라는 보호 덮개가 없는 상태이기 때문에 세균에 쉽게 오염되어 감염으로 진행되면 상처 치유를 방해한다. 전형적인 감염임상 증상으로 홍반, 열감, 부종, 화농성 삼출물, 상처치유의 지연이나 크기의 증가, 새로운 통증이나 냄새의 발생, 상처 악화 등이 나타나면 감염되었다고 판단한다.
- 특히 만성상처는 비전형적인 감염증상이 나타나 감염에 대한 판단이 쉽지 않으므로 이에 대한 이해가 필요하다(그림 3-14, 표 3-3 참조)

2) 상처세척(5장 참조)

목적

- 건강한 조직에 해를 주지 않고 상처의 오염물과 괴사조직을 제거한다.

중재

- 괴사조직이 없는 청결한 상처는 생리식염수를 이용하여 낮은 압력으로 부드럽게 세척한다(그림 4-5 A). 만약 주사기에 생리식염수를 담아 사용할 경우는 주사기의 바늘을 뺀다.
- 괴사조직이 있거나 오염 또는 감염된 상처는 생리식염수를 이용해 4~15psi(pounds per square inch)로 상처를 세척한다.
  - psi: 압력의 단위. 즉 피부, 상처표면 1inch 단위 면적에 용액을 흘림으로서 발생하는 압력이다.
  - 4psi 미만의 압력은 괴사조직을 제거하는 데 효과적이지 않으며 15psi보다 높은 압력이면 괴사조직을 건강한 조직으로 밀어 넣을 수 있는 위험이 있으므로 안전하게 19G 바늘(또는 angiocatheter)을 35mL 주사기에 끼워 사용한다(그림 4-5 B, 표 5-1 참조).
- 개방상처에서 소독제를 사용하는 것은 세균에 독성이 있을 뿐 아니라 백혈구와 섬유모세포에 독성이 있으므로 주의한다.
- 상품화된 상처세척제에도 항균 성분을 포함하고 있어 상처에 손상을 줄 수 있다.

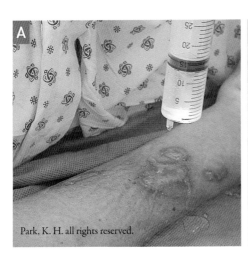
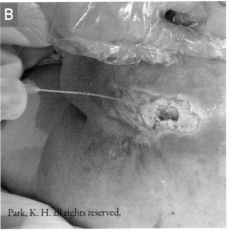

그림 4-5   A. 깨끗한 상처의 세척   B. 오염된 상처의 세척

3) 괴사조직 제거

목적

- 괴사조직은 염증과정을 지연시키고 세균증식의 배지로 작용할 뿐 아니라, 상처기저부의 사정을 어렵게 하고 감염의 증후를 간과하기 쉽게 하므로 금기인 경우를 제외하고 제거한다(그림 4-6).

중재

- 가장 적절한 괴사조직 제거 방법은 대상자의 상태와 상처사정을 바탕으로 선택하여야 한다.
- 괴사조직제거술 후에도 상처가 건조되지 않도록 습윤 드레싱을 유지한다.

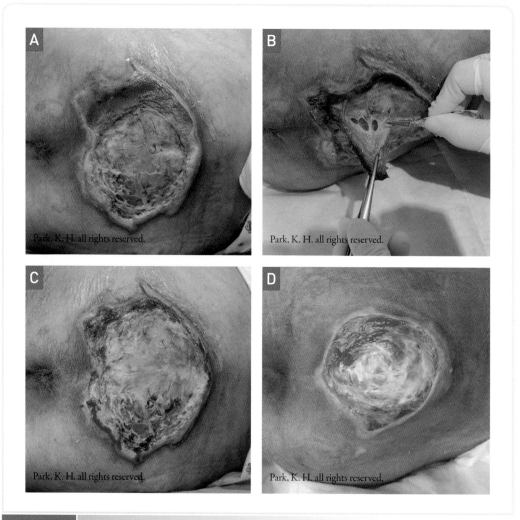

그림 4-6	A. 괴사조직 제거 전 B. 괴사조직을 제거하고 있음
	C. 괴사조직 제거 직후 D. 괴사조직 제거 후 육아조직이 자라고 있음(치료 2주 후)

Point
- 상처가 건조가피로 덮여있는 경우에 혈류가 좋지 않으면, 함부로 괴사조직을 제거하지 않는다. 이때 건조가피는 외부감염에 대한 방어기능을 하기 때문에 유지해야 하며, 만약 제거해 버리면 상처가 개방되어 외부로부터 미생물이 침입하며 상처의 감염 가능성이 높아져서 상처가 악화될 수 있다.

4) 적합한 습윤 상태 유지

목적

- 세포의 이동이 가능하고 신생혈관 형성과 결합조직 합성을 촉진한다.

중재

- 습윤 드레싱을 한다(그림 4-7).
  - 적당한 삼출물과 온도를 유지하여 새로운 세포의 이동과 분열을 가속화하여 신생혈관 형성과 결합조직 합성을 촉진한다.
  - 영양분의 이동을 증진한다.
  - 습윤한 상처표면은 가피 형성과 흉터가 깊어지는 것을 예방한다.
  - 상처기저부에 괴사조직이 있는 경우, 백혈구가 상처표면으로 이동하는 것을 촉진하여 괴사조직의 자가분해를 증진한다.
  - 정상조직을 보호하여 드레싱제 제거 시 통증을 감소한다.

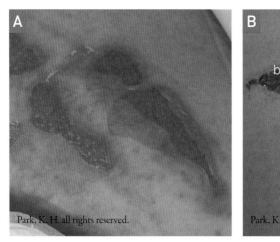
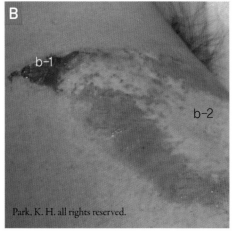

그림 4-7	A. 노출된 진피층
	B. 공기 중에 노출된 부분은 가피(b-1)가 생겼고, 습윤 드레싱제를 적용한 부분은 새로운 상피세포가 덮였다(b-2).

- 지나친 삼출물을 관리한다(그림 4-8, 표 4-2).
  - 적당한 정도의 염증성 삼출물은 백혈구, 항체, 림프구, 성장인자 등이 포함되어 있어 치유에 도움을 주므로 오염되지 않도록 주의한다.
  - 삼출물이 과다한 경우, 상처주위조직이 짓물러 쉽게 손상하며 미생물이 성장할 수 있는 배지가 되어 감염을 유발한다.
  - 감염성 삼출물에 포함된 세균성 독소는 화농을 형성하며 상처를 악화시킨다.

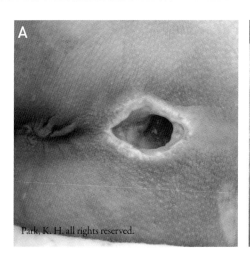
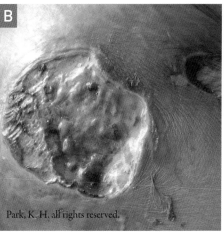

그림 4-8　A. 지나친 삼출물로 인해 상처주위 조직이 짓무름　　B. 지나친 삼출물로 인해 화농된 상처

표 4-2	지나친 삼출물 조절 방법

- 감염 조절하기
- 적합한 드레싱 제품 적용
  - 흡수성 높은 제품(하이드로화이버 등) 부착 A
  - 투습도가 높은 제품을 부착 B
  - 거즈를 두껍게 적용 C
- 잦은 드레싱하기
- 큰수포는 무균적으로 흡인하기 D
- 상처배액주머니 부착 E
- 상처주위피부의 짓무름을 방지하기 위해
  피부보호필름 뿌리기 F

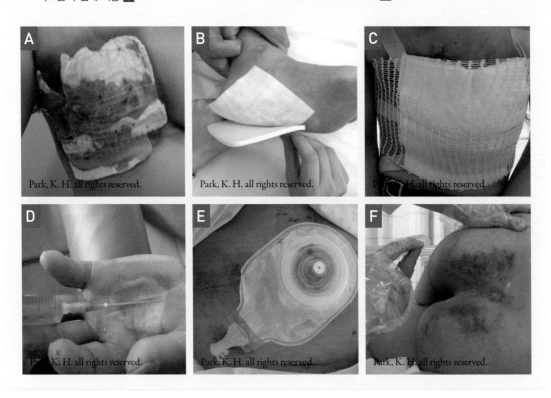

5) 공동(Cavity) 제거

목적

- 공동은 세균증식의 배지가 되는 삼출물이나 수분이 고여 농양 형성을 유발하기도 하므로 제거한다.

중재

- 공동 부위에 드레싱제를 가볍게 패킹한다(표 4-3).

표 4-3	공동에 드레싱제를 패킹하는 방법

- 크고 깊은 상처에는 흡수성 재료를 사용함 A
- 보풀이 있는 재료는 면봉을 이용해 느슨하게 패킹함 B
- 패킹 재료의 끝자락이 상처가장자리에 닿게 하여 쉽게 제거할 수 있도록 함 C
- 패킹 재료의 압박 정도
  - 너무 단단히 패킹을 할 경우는 패킹한 드레싱 자체가 압박으로 작용할 수 있음
  - 건강한 육아조직 D 이 패킹한 거즈에 의해 압박을 받아 상처기저부가 자주색으로 변함 E
  - 패킹 재료를 고르게 펴서 공동 내로 편평하고 느슨하게 패킹함 F
  - 패킹 재료가 상처 내에 위치하도록 하여 상처가장자리 밖으로 나오지 않아야 함 G
- 패킹 재료의 습윤 정도
  - 너무 습하면 미생물이 성장하여 상처가 감염됨 H
  - 너무 축축하여 녹농균에 감염된 상처 H
  - 거즈에 생리식염수를 묻혔을 때 적당히 짜내어 생리식염수가 아래로 뚝뚝 떨어지지 않는 정도가 좋음 I
- 상처 개구부가 작고 잠식이나 동로 등 공동이 큰 경우 J 패킹한 드레싱이 공동 내에서 분실할 것을 방지하기 위해 드레싱 재료의 한 부분을 상처가장자리 밖으로 나오도록 걸쳐 둔 후 K, 드레싱 표면에 패킹한 내용에 대해 기록해 두면 L 상처관리자 모두가 패킹 정도를 공유할 수 있음
- 패킹제를 너무 작거나 가늘게 잘라 넣은 경우, 드레싱 교환 시 찾지 못해 드레싱제가 그대로 공동 내에 남아있으면 감염을 일으킬 수 있으므로 주의해야 함 C K

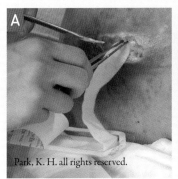
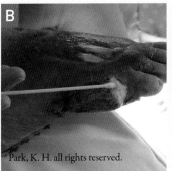
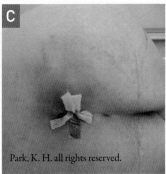

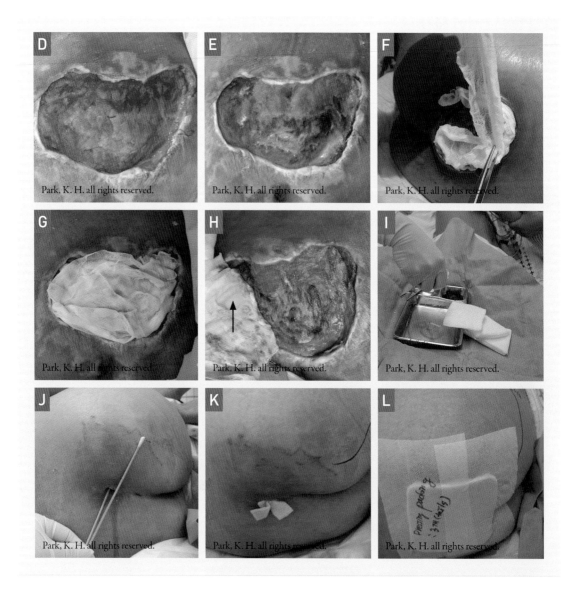

• 공동의 상처기저부에서 육아조직이 차오르면서 결손 부위가 거의 채워진 어느 시점에는(B) 공동 부위에
패킹을 하지 않아야 육아조직으로 채워진 상처가 서로 유착되어 치유된다.

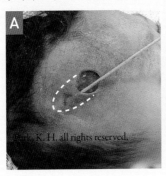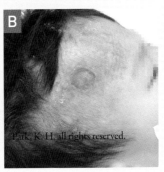

A. 공동(잠식) 부위
B. 공동이 채워진 상태

6) 냄새 조절

목적

- 냄새를 감소하여 불편감을 줄인다.

중재

- 적합한 빈도로 드레싱제를 교환한다.
- 드레싱을 교환할 때마다 상처를 세척한다.
- 금기가 아니면 괴사조직을 제거한다.
- 항균 드레싱제를 사용하거나 항생제(Metronidazole)를 국소적으로 적용한다(그림 4-9).
- 숯 드레싱제를 적용한다.

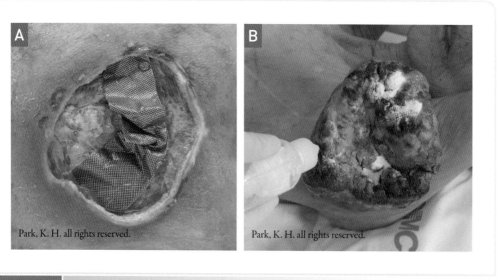

그림 4-9   A. 욕창에 항균 드레싱제를 적용한 모습   B. 암상처에 항생제를 적용한 모습

7) 통증 조절

목적

- 통증의 원인을 제거 또는 교정하여 대상자의 안위를 도모한다.

중재

- 수치통증척도(Numeric Rating Scale, NRS)이나 얼굴통증척도(Wong-Baker FACES Pain Rating Scale)을 통해 확인한다(그림 4-10).
- 습윤 드레싱을 한다.
- 괴사조직 제거 시 자가분해방법을 이용한다.
- 비접착성 드레싱제를 사용하고 접착성 드레싱제의 사용을 자제한다.
- 드레싱제 교환을 자주 하지 않는다.
- 지나친 세척은 피하고, 미온수나 생리식염수로 세척한다.
- 부종을 감소한다.
- 상처의 개방을 최소화하여 건조되지 않도록 한다.
- 필요하면 치료(드레싱제 교환, 괴사조직 제거) 전에 진통제를 투여한다.

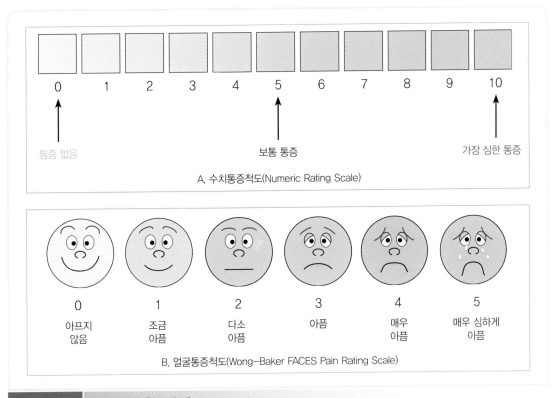

A. 수치통증척도(Numeric Rating Scale)

B. 얼굴통증척도(Wong-Baker FACES Pain Rating Scale)

그림 4-10 통증 사정 척도의 예

8) 상처와 상처주위피부 보호

(1) 오염으로부터 보호

목적

- 드레싱의 접착이 떨어져 외부로부터 상처와 상처주위피부가 오염되지 않도록 한다.

중재

- 제품의 가장자리 1cm 내로 삼출물이 배어 나오기 전에 드레싱제를 교환한다(그림 4-11).

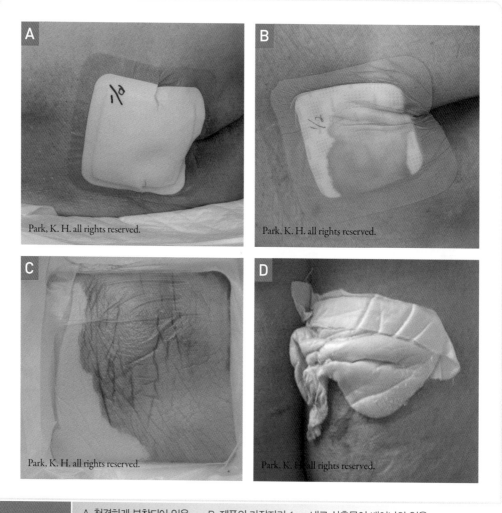

그림 4-11	A. 청결하게 부착되어 있음 B. 제품의 가장자리 1cm 내로 삼출물이 배어나와 있음
	C. 이미 삼출물이 누수됨 D. 상처가 노출되어 오염됨

(2) 짓무름(침연)으로부터 보호

목적

- 상처의 삼출물이나 드레싱제로부터 나오는 과다한 습기에 의해 상처주위피부가 짓무르는 것을 예방한다(그림 4-12 A).

중재

- 액상 피부보호필름, 크림 형태의 피부보호제, 판 형태의 피부보호막 등을 사용한다(그림 4-12 B, C, D).
- 삼출물이 상처가장자리 밖으로 누수되기 전에 드레싱제를 교환한다(그림 4-12 E, F).

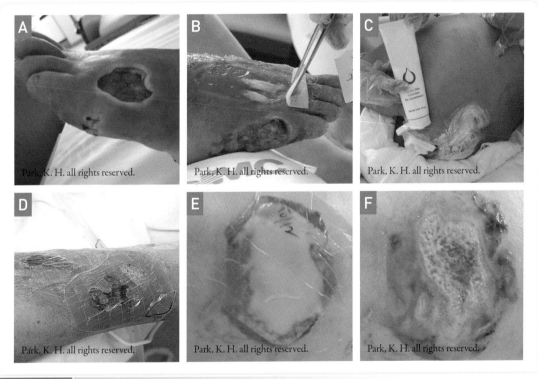

그림 4-12	A. 상처주위피부가 짓무른 모습　　B. 액상 피부보호필름 적용　　C. 피부보호크림 적용
	D. 피부보호막 적용　　E, F. 삼출물이 상처주위피부로 새어나간 모습

(3) 피부박리로부터 보호

목적

- 특히 접착성 제품과 관련된 손상을 예방한다(그림 4-13 A).

중재

- 굴곡이 있거나 늘어진 부위의 피부가 제품에 의해 당겨지지 않도록 부착한다(그림 4-13 B, C).
- 연약한 피부에 부착된 기존의 드레싱을 제거할 때 피부에 고정된 테이프는 그대로 둔 채 드레싱제 만 창문 형태로 오린 후 제거한다(그림 4-13 D).
- 제품 제거 시 손으로 피부를 누르면서 부드럽게 제거한다(그림 4-13 E).
- 제품 제거 시 물로 불려 제거하거나 피부잔여물제거제를 사용한다(그림 4-13 F).
- 쉽게 피부박리가 되는 것을 예방하기 위해 상처주위피부가 짓무르지 않도록 한다(그림 4-12).

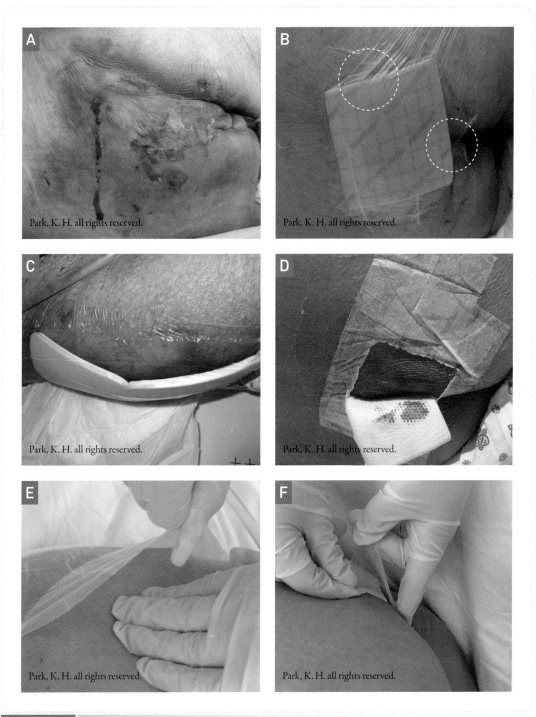

그림 4-13	**접착성 제품에 의한 피부손상의 예**
	A. 표피가 박리되어 출혈됨 B, C. 피부가 땅겨져서 부착됨 D. 고정용 테이프를 그대로 둔 채 드레싱제를 오려내기 E. 피부를 누르며 드레싱제를 제거하기 F. 피부잔여물제거제를 사용하여 드레싱제를 제거하기

5

그림으로 보는

드레싱 과정

5 드레싱 과정

드레싱(dressing)이란 상처를 치료하는 행위로, 상처를 청결하게 유지하여 감염을 줄이고 새로운 조직의 형성을 촉진하여 상처치유에 도움이 되는 생리적 환경을 만드는 것이다. 드레싱 과정을 통해 상처를 보호하고 적합한 환경을 조성하여 육아조직 생성과 상피화를 촉진하여 상처치유에 도움을 줄 수 있다(드레싱의 또 다른 의미인 상처치료 재료는 본서에서는 드레싱제로 기술한다).

1. 드레싱 수칙

1) 표준 지침(Standard precaution)을 준수한다.

- 손 위생은 가장 중요하며 다음의 경우는 반드시 손을 씻는다.
  · 의료인과 보호자는 대상자를 접촉하기 (예: 드레싱하기) 전후
  · 체액이나 신체에서 나온 물질, 점막, 상처, 오염된 물체 등을 만진 직후
  · 드레싱을 끝내고 장갑을 벗은 후
- 기존의 오염된 드레싱제를 제거하고 새로운 드레싱제를 적용하는 사이에 새 장갑을 착용한다.
- 드레싱 세트는 멸균 구역이 오염되지 않도록 세트를 개방하는 사람으로부터 먼 쪽에서 가까운 쪽 방향으로 개방한다(그림 5-1).

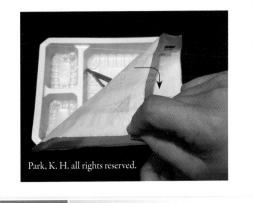

| 그림 5-1 | 드레싱 세트 개방 |

2) 상처를 직접 건드리지 않는다(No-touch technique).

- 드레싱 과정이 상처에 세균부담을 줄 수 있으므로 드레싱제 교환이나 상처 세척 시 상처를 직접 건드리지 않는다.

3) 청결기법(Clean technique)을 사용한다.

- 대부분 오염되어 있는 만성상처를 드레싱할 때는 비멸균 장갑(non-sterile glove)을 착용해도 된다.
- 단, 면역력이 저하된 대상자를 드레싱하거나 감염에 취약한 상처를 드레싱할 경우 멸균 장갑 (sterile golve)을 착용한다(그림 5-2).

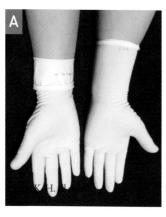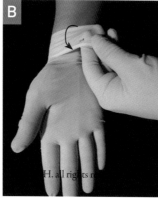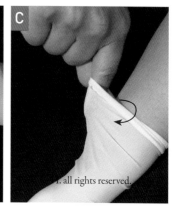

그림 5-2	**멸균 장갑 착용하기와 벗기(감염이 우려되는 경우)** A. 착용하기: 한쪽 장갑의 팔목 부분이 접혀진 채로 착용하면, 벗을 때 손의 오염을 최소화할 수 있음 B. 한쪽 장갑 벗기: 팔목의 접힌 부분에 손가락을 넣어 장갑을 뒤집어 벗기 C. 반대편 장갑 벗기: 오염되지 않은 손가락을 장갑 안으로 넣어 반대편 장갑을 뒤집어 벗기

2. 드레싱 절차

1) 드레싱 물품 준비

- 손을 씻고 멸균 드레싱 세트, 드레싱제, 세척 용액, 세척 기구 등 멸균된 재료와 기타 필요한 비멸균 물품을 준비한다(그림 5-3).

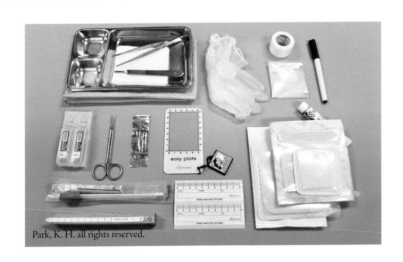

| 그림 5-3 | 드레싱 물품 |

2) 기존 드레싱제 제거

(1) 비멸균 장갑을 착용하고, 기존 드레싱제를 제거한다.

- 상처주위피부를 보호하기 위해 드레싱제가 부착되어 있는 피부를 살짝 누르면서 기존 드레싱제를 제거한다(그림 5-4 A).
- 오염된 드레싱제의 안쪽 부분에 의해 교차감염이 되지 않도록 기존 드레싱제의 가장자리를 안으로 말거나 접으면서 뗀다(그림 5-4 B).
- 모발이 제거되어 모낭염이 발생하지 않도록 접착된 드레싱제는 모발이 성장하는 방향으로 제거한다.
- 상처기저부가 손상되지 않도록, 만일 드레싱제가 상처기저부에 붙어있으면 식염수를 상처기저부에 적셔 부드럽게 한 후 제거하거나(그림 5-4 C) 피부잔여물제거제를 이용한다.
- 연약한 피부인 경우, 기존의 드레싱제를 뗄 때는 피부에 고정하는 테이프는 그대로 둔 채 드레싱제만 창문 형태로 오린 후 제거한다(그림 5-4 D).

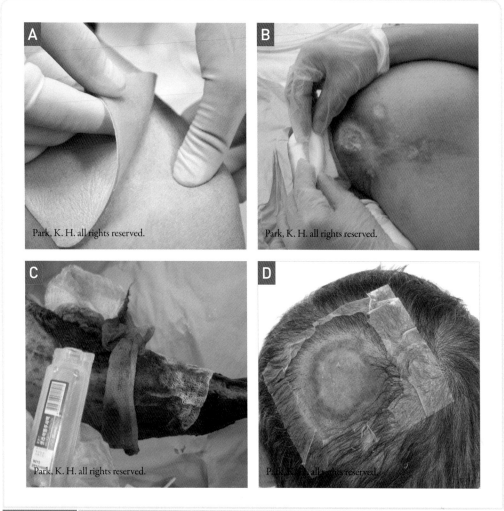

그림 5-4 **기존 드레싱제 제거**

A. 상처주위피부를 누르면서 제거   B. 드레싱제를 접으면서 제거

C. 생리식염수를 적셔 제거   D. 고정하는 드레싱제 부위는 그대로 둔 채 제거

(2) 기존 드레싱제에 묻은 상처의 특성을 평가한다.

- 기존 드레싱제에 묻은 삼출물의 색깔·양·냄새·점도, 상처기저부의 육아조직·괴사조직 여부 등을 관찰한다.
- 기존 드레싱제에 묻은 상처의 특성에 대한 평가는 적절한 세척방법을 선택하는 데 도움이 된다 (그림 5-5).

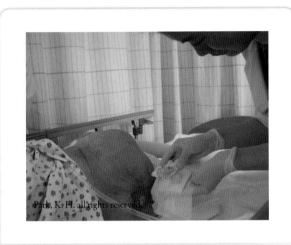

그림 5-5 기존의 드레싱에 묻은 상처의 특성 평가

(3) 제거한 기존 드레싱제를 밀폐 용기에 버리고 장갑을 벗는다.

3) 상처 세척

(1) 상처를 닦는다.

- 비멸균 또는 멸균 장갑을 다시 착용한다.
- 소독제나 멸균 생리식염수를 묻힌 솜(또는 거즈)을 이용한다.
  - 상하로 긴 상처는 위에서 아래로, 안에서 밖으로 닦는다(그림 5-6 A).
  - 원형의 상처는 안에서 밖으로 원을 그리면서 닦는다(그림 5-6 B).
  - 거즈로 닦는 경우 심하게 문지르지 않는다.

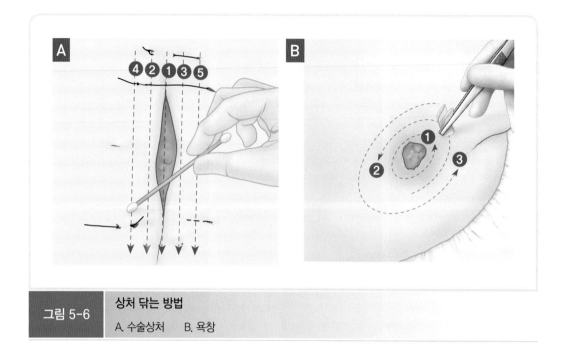

그림 5-6	**상처 닦는 방법** A. 수술상처　　B. 욕창

(2) 상처를 세척한다.

- 상처 전체를 철저히 세척한다.
  - 상처의 특성에 따라 세척 방법을 선택한다(표 5-1).
  - 상처배액이 잘되는 방향으로 대상자가 자세를 취하도록 한다.
    > 예 잠식이 3시 방향으로 있는 천골 욕창을 가진 대상자는 잠식 부위가 위로 향하도록 대상자를 눕힌 후 세척하는 것이 좋다.
  - 용액은 천천히 일정한 압력으로 상처에 흘려보내되, 상처의 깨끗한 부분에서 오염된 부분으로 흐르도록 한다.
  - 조직이 손상되는 것을 방지하기 위해 주삿바늘 등을 상처 내로 넣지 않는다.
  - 처방된 양만큼 세척하거나, 세척 후 되돌아 나오는 배액이 깨끗할 때까지 세척한다.
  - 기존 드레싱에서 비롯된 상처 삼출물, 잔류물을 모두 세척하기 위해 상처에서 1~2 inch 정도 떨어져 세척한다.
- 세척 용액, 세척량과 배액된 양을 기록한다.

표 5-1	상처의 특성에 따른 세척 방법

괴사조직이 없는 청결한 상처

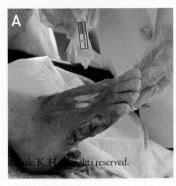
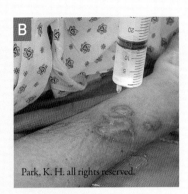

- **목적**   – 증식되는 피부층의 손상 없이 상처를 세척한다.
- **방법**   – 세포 독성이 없는 생리식염수를 이용하여 낮은 압력으로 부드럽게 세척한다. **A**
             만약 주사기를 사용할 경우에는 바늘을 뺀다. **B**
            – 강도 높은 세척은 깨끗한 육아조직에 상처를 입힐 수 있으므로 피한다.

괴사조직이 있거나 오염 또는 감염된 상처

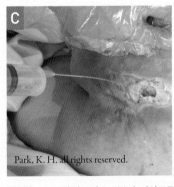

- **목적**   – 상처표면으로부터 괴사조직과 미생물을 제거한다.
- **방법**   – 세척액으로는 생리식염수나 다른 소독제를 선택하여 35mL 용량의
            피스톤주사기에 18~19G 바늘/angiocatheter를 연결하여 상처를
            세척하면 조직의 손상을 최소화하면서 미생물을 제거할 수 있다. **C** **D**
            – 잠식이나 동로 등 공동이 있는 부위는 미생물과 괴사조직이 쉽게
            쌓일 수 있어 철저하게 세척해야 하므로, 주사기 끝에 부드러운 관
            (넬라톤 등)을 연결하여 세척하면 편리하다. **D**

4) 상처 건조

- 마른 거즈를 사용하여 상처기저부를 살짝 눌러 습기를 흡수하여 건조한다(그림 5-7).

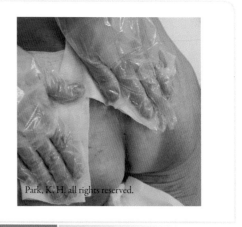

| 그림 5-7 | 상처 건조하기 |

5) 상처 사정

- 상처의 위치, 크기, 조직손상 정도, 기저부의 색깔, 상처가장자리, 삼출물, 상처주위피부, 잠식이나 동로의 유무, 이물질의 유무, 상처보유기간, 상처감염의 증상 등을 사정한다(3장 참조).

6) 괴사조직 제거

- 괴사조직이 있는 경우에 괴사조직의 제거가 금기가 아니면 제거한다(그림 5-8).

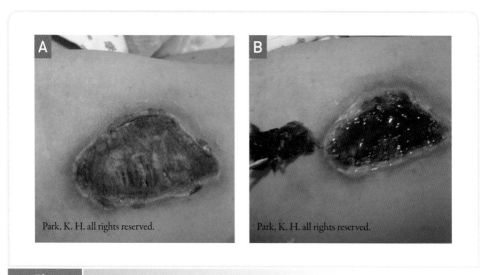

| 그림 5-8 | A. 괴사조직 제거 전 | B. 괴사조직 제거 후 |

7) 상처 재세척·건조

- 괴사조직을 제거한 경우에는 상처를 다시 닦거나 세척·건조하고, 괴사조직이 없는 경우는 생략한다.

8) 상처 드레싱

(1) 상처관리 지침에 따라 적합한 드레싱제를 선택한다(7장 참조).

(2) 상처에 잠식이나 동로 등 공동(cavity)이 있는 경우에는 드레싱제를 채워 넣는다.

- 상처의 잠식이나 동로를 다시 확인한다.
- 공동은 면봉 등을 이용해 드레싱제를 가볍게 채우되 상처기저부에 닿게 하여 농양 형성을 예방한다(그림 5-9).
- 드레싱제가 상처 안에 위치하도록 하여 상처주위 피부가 짓무르지 않도록 한다.

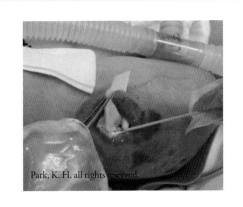

그림 5-9 │ 공동에 드레싱제 채우기

(3) 드레싱제의 가장자리가 피부에 잘 부착되도록 가볍게 지그시 누르면서 고정한다.

- 드레싱제를 만질 때 상처접촉면에 보호 필름 등이 따로 없는 경우는 드레싱제의 바깥면을 잡는다(그림 5-10).

바깥 면

상처접촉면

그림 5-10 │ 상처접촉면이 오염되지 않도록 드레싱제 잡기

- 접착성 드레싱제는 추가적인 고정이 필요 없으나(그림 5-11 A, B) 이차적으로 고정이 필요한 경우에는 추가적으로 고정을 더 한다.
- 비접착성 드레싱제는 접착성 테이프 등을 이용하여 고정한다(그림 5-11 C).

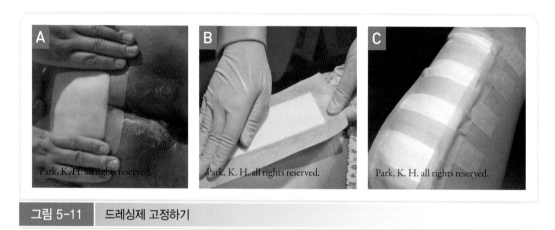

| 그림 5-11 | 드레싱제 고정하기 |

9) 드레싱 오염물 처리

- 드레싱하면서 버려진 오염물은 밀폐 용기에 넣어 의료폐기물 박스에 버린 후 손을 씻는다(그림 5-12).

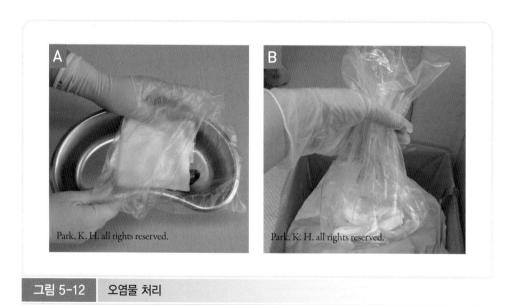

| 그림 5-12 | 오염물 처리 |

10) 기록과 보고

- 상처와 관련된 대상자의 반응과 상처의 상태·상처치료에 대한 효과·드레싱 과정을 기록한다.
- 상처치유가 지연되는 경우 상처전문가에게 보고하고 의뢰한다(표 5-2).

표 5-2	드레싱 절차의 알고리즘

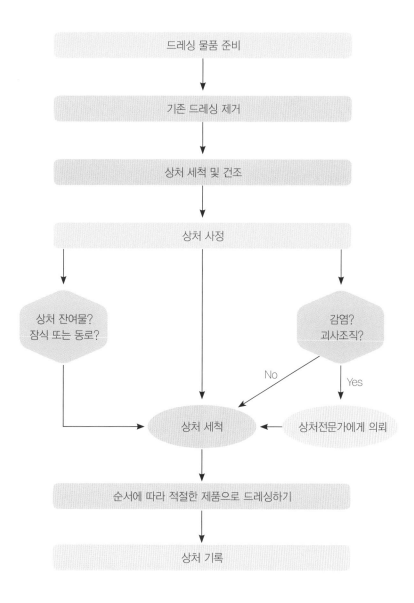

3. 드레싱제 고정

1) 고정테이프 부착법

- 드레싱제를 고정할 때에는 고정테이프를 잡아당기지 않은 상태에서 부착해야만(그림 5-13 A-2, C) 국소압력과 장력으로 인한 표피박리(epidermal stripping)를 예방할 수 있다(그림 5-13).

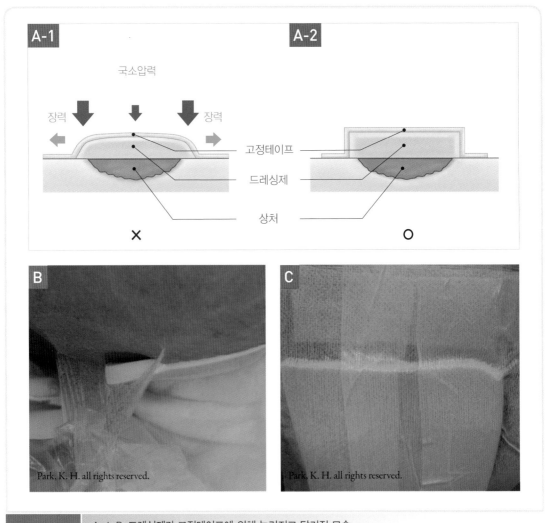

| 그림 5-13 | A-1, B. 드레싱제가 고정테이프에 의해 눌려지고 당겨진 모습
A-2, C. 드레싱제가 고정테이프에 의해 눌려지지 않은 모습 |

● 폭이 좁은 고정테이프를 부착할 때는 그림 5-14의 번호 순서대로 드레싱제의 상·하를 먼저 고정하고, 그 다음 가능한 모든 모서리가 닫히도록 부착하는 것이 안전하다(그림 5-14).

　· 고정테이프에 의해 피부가 당겨지지 않도록 드레싱제의 모서리는 각지게 고정한다(⬭).

　· 고정테이프의 길이는 3~5cm로 정도로 안전하게 부착한다.

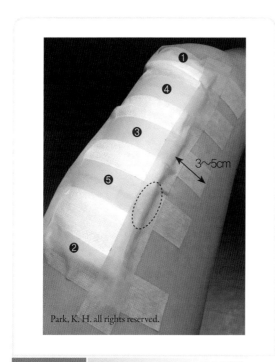

3~5cm

그림 5-14　**폭이 좁은 고정테이프의 부착법**

2) 주름이나 골진 부위 고정법

- 주름이나 골진 상처(그림 5-15 A)에 드레싱제를 고정할 때는 피부를 부드럽게 잡아당겨 주름지지 않도록 하며(그림 5-15 B), 상처기저부에 드레싱제가 밀착되게(그림 5-15 C-2) 부착한다.

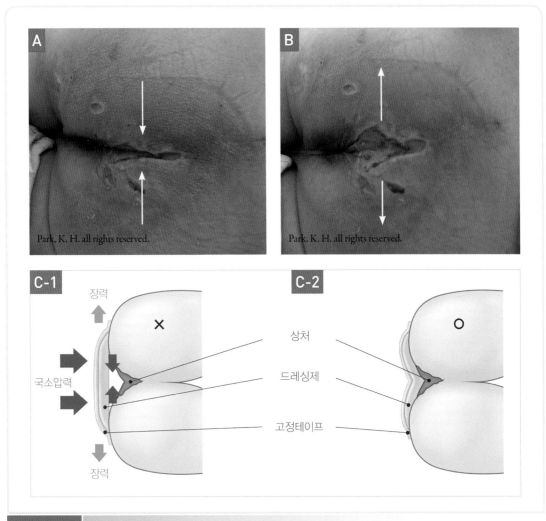

그림 5-15	A. 주름이나 골진 상처 B. 상처가 접히지 않도록 양방향으로 피부를 당기기
	C-1. 주름진 상처에 드레싱제를 잘못 부착한 모습 C-2. 주름진 상처에 드레싱제를 올바르게 부착한 모습

- 주름이나 골진 피부에 드레싱제가 당겨져 부착되면 피부가 접혀(그림 5-16 A) 쉽게 습해지므로 접촉궤양(kissing ulcer, 궤양의 모양이 접촉으로 인해 대칭적인 모양이 되어 일컫는 이름)이 발생 하며, 상처가 있던 경우는 악화된다(그림 5-16).

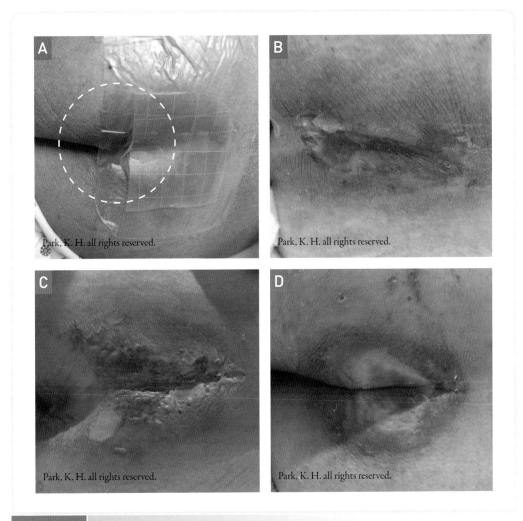

그림 5-16	A. 상처기저부가 접힌 채 드레싱제가 부착됨
	B, C, D. 상처기저부가 접힌 채 드레싱제가 부착되어 접촉궤양이 발생함

- 주름이나 골진 부위에 드레싱을 할 경우, 비접착성 드레싱제는 상처기저부에 들러붙지 않기 때문에 가능한 자극이 적은 접착성 드레싱제를 부착(그림 5-17 A, B)하며, 비접착성 드레싱제라도 상처기저부에 직접 닿도록 부착(그림 5-17 C)하여 피부의 양쪽 면 사이에 드레싱제가 들어가도록 한다(그림 5-17).

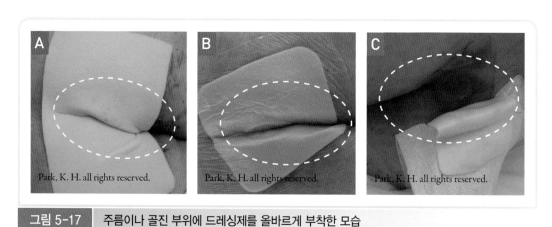

| 그림 5-17 | 주름이나 골진 부위에 드레싱제를 올바르게 부착한 모습 |

- 천골과 미골 부위에 드레싱제를 적용할 때는 피부가 최대한으로 늘어났을 때 A자 모양으로 부착하면 잘 고정된다(그림 5-18).

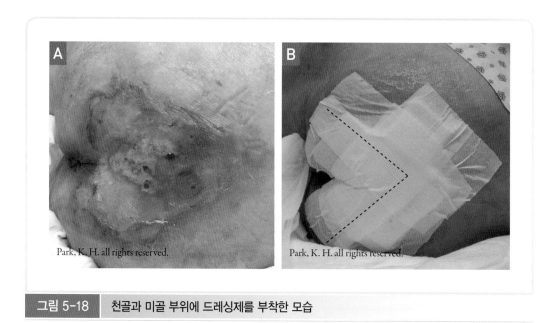

| 그림 5-18 | 천골과 미골 부위에 드레싱제를 부착한 모습 |

3) 모서리 부위 고정법

- 발꿈치나 팔꿈치에 적용할 때는 부착할 부위의 피부가 최대로 늘어나게 자세를 취한 후, 신체 부위의 모양에 맞추어 절개선을 넣어 번호순으로 부착한다(그림 5-19).

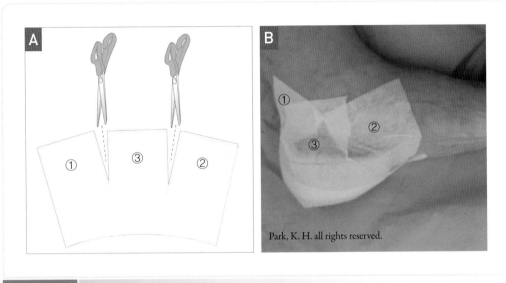

그림 5-19   A. 고정테이프를 절개한 모습   B. 발등을 위로 구부린 후 발뒤꿈치에 드레싱제 고정하기

4) 연약한 피부 고정법

- 어린이나 노인 등의 연약한 피부(그림 5-20 A)에 접착성 드레싱제나 테이프 등을 부착하여 피부가 손상될 경우, 직접 상처나 상처주위피부를 보호하기 위해 일차로 상처접착면 드레싱제(그림 5-20 B)를 적용하고 이차적으로 비접착성 드레싱제를 덮고 자가접착붕대(self adhesive bandage, 그림 5-20 C, G)나 탄력망붕대(elastic net bandage, 그림 5-20 D, E, F, H)를 이용하여 드레싱을 고정한다 (그림 5-20).

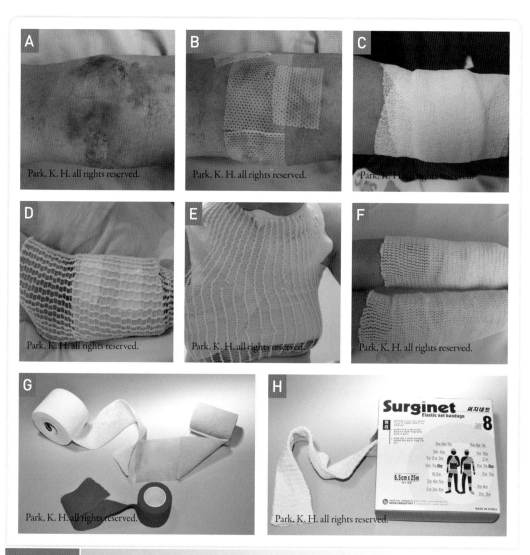

그림 5-20	A. 접착성 드레싱제로 표피가 박탈된 모습 B. 일차 드레싱으로 상처접촉면 드레싱제를 부착함
	C. 이차 드레싱으로 폼 드레싱제를 적용 후 자가접착붕대로 고정함
	D, E, F. 드레싱 고정을 위해 탄력망붕대를 적용함 G. 다양한 자가접착붕대 H. 탄력망붕대

6

그림으로 보는

괴사조직 제거

6 괴사조직 제거

괴사조직은 회복이 불가능한 죽은 조직이다. 죽은 조직은 세균이 증식할 수 있는 환경을 조성하므로 금기가 아닌 경우를 제외하고 제거하는 것이 좋으며, 괴사조직 제거는 급성 또는 만성상처로부터 죽은 조직이나 이물질, 감염성 세균 등을 제거하는 것이다.

1. 괴사조직 제거의 목적

- 상처감염을 조절하고 잠재적 감염을 예방한다.
- 단백질분해효소와 시토카인 수치를 급성상처 수준과 비슷하게 만들어 새로운 육아조직의 성장에 도움을 준다.
- 상처기저부와 상처주위피부를 관찰할 수 있다.

2. 괴사조직 제거의 분류

1) 제거되는 조직의 종류에 따른 분류

- 괴사조직만을 선택적으로 제거하는 선택적 방법(자가분해 방법, 보존적 방법, 수술적 방법)과 정상조직도 함께 제거될 수 있는 비선택적 방법(물리적 방법, 화학적 방법)이 있다.

2) 조직의 제거방법에 따른 분류

- 자가분해 방법, 보존적 방법, 수술적 방법, 물리·화학적 방법이 있다.

Point

• 혈액순환이 좋지 않은 동맥성 궤양에서 발생한 가피의 경우, 외부로부터 미생물이 침투하지 않도록 방어막 기능을 한다. 그러므로 이러한 가피를 제거해 버리면 상처가 개방되어 감염 가능성을 높이게 되므로 함부로 제거해서는 안 된다.

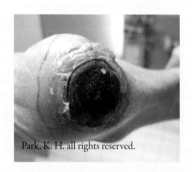

3. 괴사조직 제거방법

1) 자가분해 방법

• 상처에서 정상적인 염증반응이 일어날 때 백혈구와 각종 효소들(단백질분해효소, 섬유질분해효소, 콜라겐분해효소 등)이 방출되어 죽은 조직을 섭취·소화하는 자연적인 생리적 과정을 자가분해라 하고, 이러한 과정을 통해 괴사조직을 스스로 녹여내는 방법을 자가분해 괴사조직제거술(autolytic debridement)이라고 한다(그림 6-1).

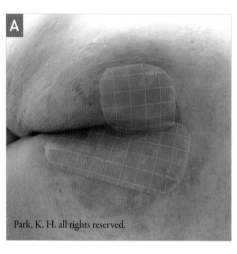
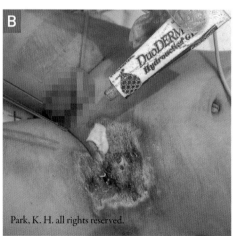

| 그림 6-1 | 습윤 드레싱제를 이용한 자가분해 방법
A. 하이드로콜로이드 드레싱제   B. 하이드로젤 드레싱제 |

적응증

- 습윤하고 혈액공급이 잘 되며 적절한 백혈구 기능과 중성구 수가 충분한 환경에서 괴사조직이 있는 경우

금기증

- 중성구가 부족한 환자(absolute neutrophil count 500mm³ 미만인 경우)는 감염의 위험에 쉽게 노출된다. 이때 자가분해를 유도하기 위해 폐쇄 드레싱제를 적용하는 것은 세균의 증식을 촉진하여 감염을 더욱 악화시키고 패혈증의 위험을 높이므로 피해야 한다.

사용지침

- 자가분해의 경우, 습윤 드레싱제를 적용하면 자연적으로 이루어지는 것이므로 감염되지 않고 괴사조직의 양이 적은 상처에만 권장된다.
- 다른 괴사조직 제거방법에 비해 느린 과정으로 괴사조직의 양·유형·상처의 크기에 따라 다르나 자가분해에서 나타나는 중요한 과정은 일반적으로 72~96시간 내에 발생한다.
- 자가분해 방법은 단독으로 이용될 수 있고, 다른 괴사조직 제거방법과 함께 사용될 수도 있다 (그림 6-2).

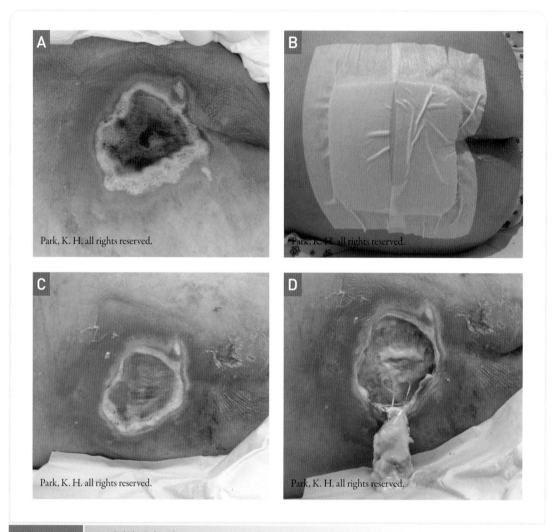

그림 6-2	A. 검정색 괴사조직
	B. 습윤 드레싱제를 적용함
	C. 괴사조직이 자가분해가 되면서 부드러운 누런색 괴사조직으로 바뀜
	D. 습윤 드레싱을 반복하면서 더욱 부드러워진 누런색 괴사조직이 떨어져 나가고 있음

주의점

- 감염이 진행되어 가능한 한 빨리 상처를 깨끗이 해야 하는 상황에서는 자가분해 방법은 시간이 소요되므로 일차적인 괴사조직제거술로 이용하지 않도록 한다.
- 감염상처, 상처의 원인균이 혐기성 세균인 경우, 혈류가 좋지 않은 경우, 자가분해 방법을 이용하기 위해 폐쇄 드레싱제를 적용한다면 미생물의 성장을 촉진할 수 있으므로 적용하지 않는다(그림 6-3). 그러나 만일 감염증상이 해결되고 홍반, 경결, 냄새나는 삼출물과 같은 국소적 증상이 사라진다면 자가분해 방법을 안전하게 이용할 수도 있다.
- 괴사조직에 습기가 가해지면서 삼출물의 양이 증가하여 상처주위피부가 짓무를 수 있어 예방적으로 상처주위피부에 보호필름을 도포하거나 피부보호판을 붙이는 것도 도움이 된다.

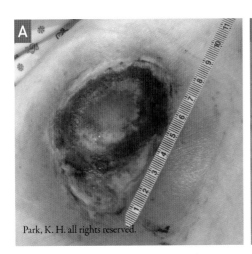
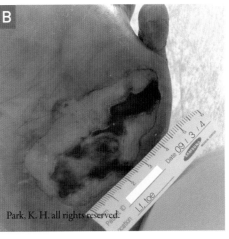

그림 6-3 자가분해 방법 중 폐쇄 드레싱제 적용이 금기인 예
A. 감염된 욕창   B. 허혈성 궤양

Point

- 자가분해 방법으로 괴사조직을 제거하는 과정 중 자가분해에 의해 삼출물이 정상적으로 젤로 형태로 변하고 냄새가 나는 것을 감염의 증상으로 오해할 수 있다. 그러므로 상처를 사정할 때는 젤로 변한 삼출물을 생리식염수로 깨끗이 세척한 다음 상처를 정확히 평가해야 한다.

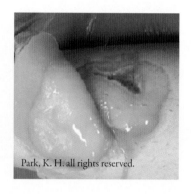

2) 보존적 방법

- 멸균 기구(수술용 칼, 소독 가위, 큐렛, 멸균 포셉 등)를 이용해 혈액공급이 없으면서 느슨해진 괴사조직만을 제거하므로 선택적 방법이라고 할 수 있다. 수술실이 아닌 침상 옆에서 숙련된 의료인에 의해 시행되며 보존적 괴사조직제거술(conservative sharp debridement)이라고 한다(그림 6-4, 표 6-1 참조).

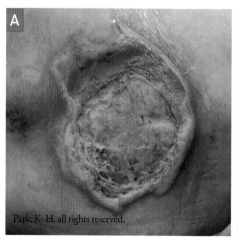
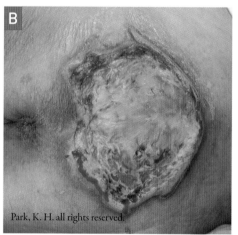

그림 6-4   A. 괴사조직 제거 전   B. 괴사조직 제거 후

적응증

- 늘어진 부드러운 괴사조직을 잡아당겼을 때 살아있는 조직과 괴사조직의 경계가 분명한 경우

금기증

- 살아있는 조직과 경계가 명확하지 않은 괴사조직을 갖고 있는 상처(그림 6-5 A)
- 혈액응고 기전에 문제가 있거나 출혈 위험성이 높은 대상자의 상처(그림 6-5 B)
- 감염되지 않은 허혈성 궤양이 건조가피로 덮여 있는 경우(그림 6-5 C)

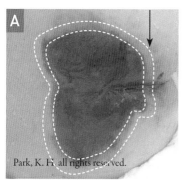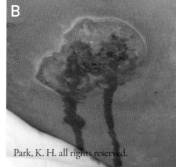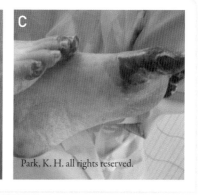

그림 6-5 **보존적 방법이 금기인 예**
A. 괴사조직의 경계가 명확하지 않음(○)   B. 출혈성 상처   C. 허혈성 상처

사용지침

- 보존적 방법은 정확히 수행된다면 건강한 조직에 해를 주지 않고 괴사조직을 빨리 제거할 수 있는 방법이다.
- 적응증이 된다면 첫 방문 시 괴사조직을 제거하고, 그 후 조금씩 지속적으로 시행한다.
- 빨리 괴사조직을 제거할 수 있고 자가분해나 효소를 이용한 방법 등과 함께 사용할 수 있어 상처 치유에 소요되는 시간을 줄일 수 있다.
- 자격을 갖춘 의료인이 수행함으로써 다양한 임상환경에서 이루어질 수 있고, 적응증과 금기증에 대해 잘 알고 시행해야 한다.

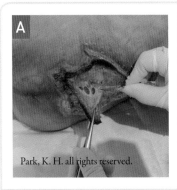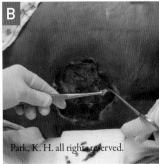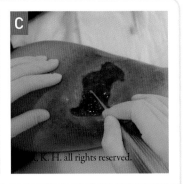

그림 6-6	**다양한 기구를 이용한 보존적 방법** A. 수술용 칼 B. 소독 가위 C. 큐렛

방법

- 멸균 기구를 사용하고, 무균술을 지키며 괴사조직을 제거할 부위에 소독제를 적용하여 감염의 가능성을 줄인다(그림 6-7 A).
- 괴사조직을 포셉으로 단단히 잡고 직접 보면서 잘라낼 부분을 명확히 확인한다(그림 6-7 B).
- 혈관성 조직이나 확인되지 않은 조직의 제거를 피하면서 괴사조직을 제거한다(그림 6-7 C).
- 괴사조직 제거 후 상처를 세척한다(그림 6-7 D).

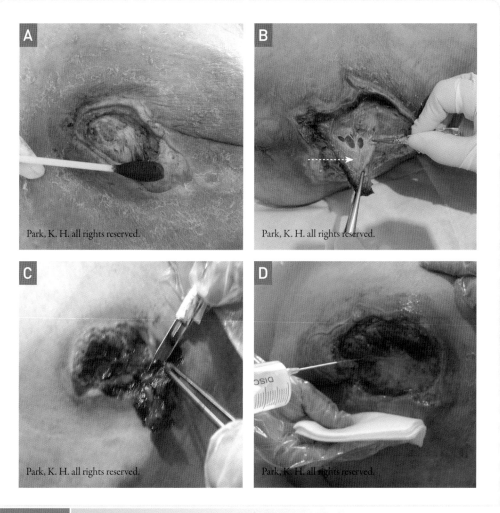

그림 6-7	**보존적 방법** A. 소독제 적용 B. 명확한 괴사조직 제거 C. 혈관성 조직에 주의 D. 괴사조직 제거 후 상처 세척

표 6-1	괴사조직 시기에 따른 제거 지침과 예

검정색 괴사조직 시기

주위피부의 발적이 계속된다.

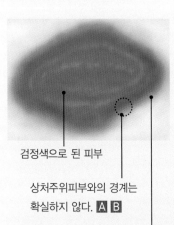

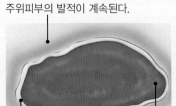

검정색으로 된 피부

상처주위피부와의 경계는 확실하지 않다. A B

주위피부의 발적

연한 분홍빛 또는 백색의 상피화가 진행되거나 낮은 구릉이 생기면 상처주위피부와 검정색 괴사조직은 명료하게 구분되어 있다. 이렇게 된 후에 검정색 괴사조직을 절제한다. C D E

가피(검정색 괴사조직)의 주변부를 포셉으로 잡아 올려, 그 부분을 수술용 칼(blade)로 제거한다.

검정색 괴사조직은 약간 부풀어 오른 경우도 있다.

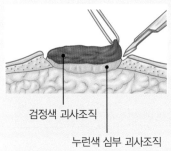

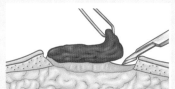

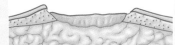

검정색 괴사조직

누런색 심부 괴사조직

검정색 괴사조직의 주변부를 포셉으로 잡아 올려, 검정색 괴사조직 부분과 심부 괴사조직 사이에 수술용 칼을 넣어서 검정색 괴사조직을 조금씩 절제해 나간다. F

짙은 검정색 괴사부분을 절제하고 나면, 옅은 검정색이나 누런색 괴사조직이 있는 상처기저부가 나타난다.

누런색 괴사조직 시기

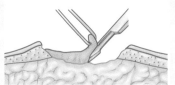

누런색 괴사조직 시기
(괴사로 파여진 피하조직과 근육 등)

누런색의 괴사조직을 조금씩 여러 차례 나누어 절제한다. G H

괴사조직이 거의 제거되고 상처기저부가 노출된다. I

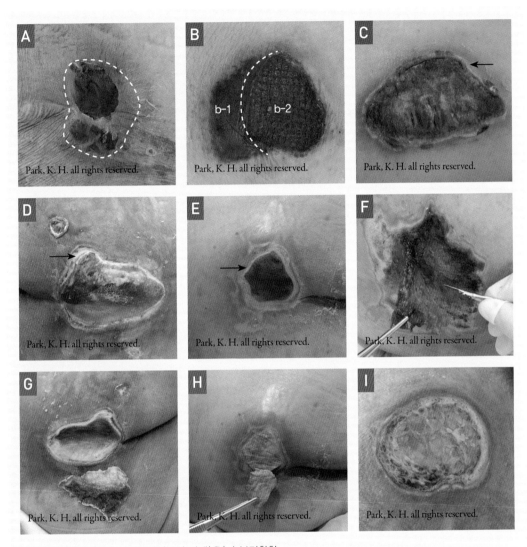

A. 검정색 괴사조직과 상처주위피부의 경계(◯)가 불명확함

B. 검정색 괴사조직과 상처주위피부의 경계가 불명확한 부분이(b-1), 이미 명확한 부분(b-2)처럼 변화하고 있음

C, D, E. 상처가장자리가 상피화되고(C➡) 낮은 구릉이 생겨(D➡, E➡)검정색 괴사조직과 상처주위피부의
경계가 명확함

F. 보존적 괴사조직제거술을 하는 모습

G, H. 누런색 괴사조직이 노출됨

I. 건강한 조직이 보이기 시작함

주의점

- 괴사조직을 제거해도 좋은 경우라도 괴사조직과 건강한 조직의 경계가 불분명한 시기(그림 6-8 A, B)에는 경계가 확실히 구분(demarcation)이 될 때(그림 6-8 C, D, 표 6-1 C, D, E) 괴사조직을 제거한다(그림 6-8, 표 6-1).
- 상처의 크기나 괴사조직의 양에 따라 모든 괴사조직을 제거하는 데 수 주가 소요될 수도 있다. 대상자에게는 불편감을 주는 과정이며 사전 진통제 투여가 필요할 수 있다.
- 일반적으로 상처가 감염되었을 경우, 괴사조직 제거 후 일시적으로 세균혈증(bacteremia)이 발생할 수 있는 잠재성이 있다. 영양상태가 좋지 않거나 면역억제 상태에서는 일시적인 세균혈증도 심각한 상태가 될 수 있으므로 조심스러운 접근이 필요하다.

Point

감염된 상처의 괴사조직 제거방법으로 가장 선호되는 것은 수술적인 방법이지만, 현실적으로는 대상자의 상태 등 여러 가지 제한으로 수술로 괴사조직 제거가 가능하지 않은 경우가 많다. 이런 경우 보존적 괴사조직 제거방법을 적용하면서 적합한 항생제 투여를 하는 것이 좋다. 항생제를 전신투여하더라도 괴사조직을 통과하지 못하므로 상처의 세균부담을 줄이지는 못하되 병원균이 전신적으로 전파되는 것을 줄일 수 있다. 또한 소독제와 항균 드레싱제를 국소적으로 상처에 적용하여 상처의 세균부담을 감소할 수 있다.

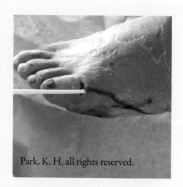

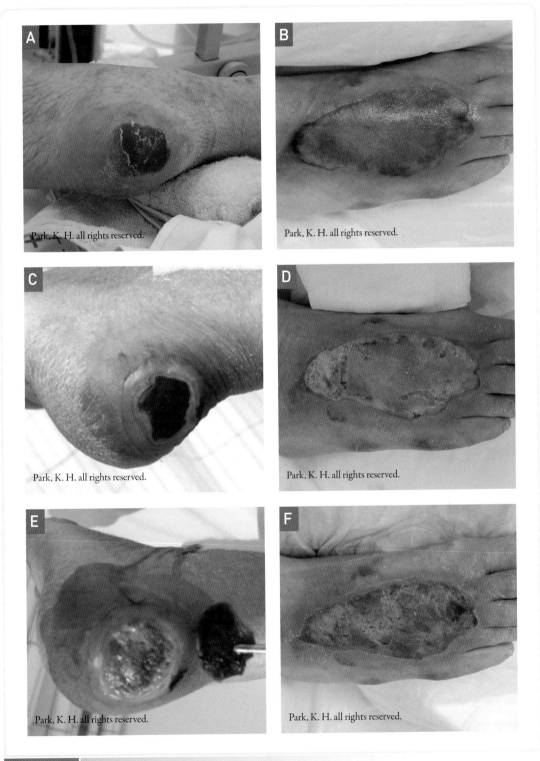

그림 6-8

A, B. 괴사조직과 건강한 조직의 경계가 구분이 확실하지 않은 시기

C, D. 괴사조직과 건강한 조직의 경계가 구분이 확실한 시기

E, F. 보존적 방법으로 괴사조직을 제거함

3) 수술적 방법

- 입원한 상태에서 의사에 의해 수행되는 수술적 접근법이므로 많은 양의 괴사조직을 가장 빨리 제거할 수 있는 안전한 방법이며, 외과적 괴사조직제거술(surgical sharp debridement)이라고 한다(그림 6-9).

적응증

- 생명을 위협하는 감염이 있거나 다량의 조직을 제거할 필요가 있는 경우

주의점

- 수술의 위험과 동일하게 출혈, 패혈증 등의 가능성 있으며, 수술적 방법은 매우 적극적이고 공격적인 방법이기 때문에 괴사조직뿐 아니라 정상조직도 어느 정도 제거될 수 있다.

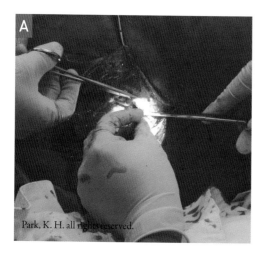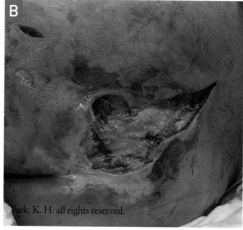

그림 6-9　A. 수술적 방법으로 괴사조직을 제거함　　B. 괴사조직을 제거한 후 모습

4) 물리적 방법

- 괴사조직을 제거하고 적은 양의 삼출물을 흡수하는 것이 가능하지만 건강한 정상조직에 손상을 줄 수 있다는 점(그림 6-10 A)에서 비선택적 방법이며, 물리적 괴사조직제거술(mechanical debridement)이라고 한다(그림 6-10).

(1) 습건식 드레싱(wet-to-dry dressing)

- 생리식염수나 소독액을 적신 거즈를 상처기저부에 적용한 후, 건조된 상태로 제거하는 방법이다.

적응증

- 심하게 괴사된 상처, 감염된 상처

금기증

- 건강한 육아조직이 대부분을 차지하는 상처

사용지침

- 생리식염수나 소독액을 적신 거즈를 상처기저부에 넣고 4~6시간 후 젖은 거즈가 마를 때쯤 제거하여 거즈에 달라붙은 삼출물과 괴사조직을 함께 제거하는 방법이다(그림 6-10 B, C).
- 거즈는 촉촉하게 젖을 정도로 준비한다(그림 6-10 D).
- 생리식염수가 흐를 정도로 많이 적신 상태로 적용하므로 삼출물이 많은 상처인 경우는 거즈의 흡수기능이 떨어지므로 상처주위피부가 짓무르는 경우도 있다(그림 6-10 E).
- 거즈는 전체 상처표면에 고르게 닿도록 적용한다(그림 6-10 F).

주의점

- 하루 한 번 이상 드레싱제를 교환해주어야 하며, 거즈를 적시고 적용하는 과정에서 무균기법의 원칙이 지켜지지 못할 가능성도 크므로 감염의 위험이 증가될 수 있다.
- 괴사조직이 많은 상처에서만 국한되어 적용하고 건강한 조직이 나타나기 시작하면 중단해야 한다(그림 6-10 A).

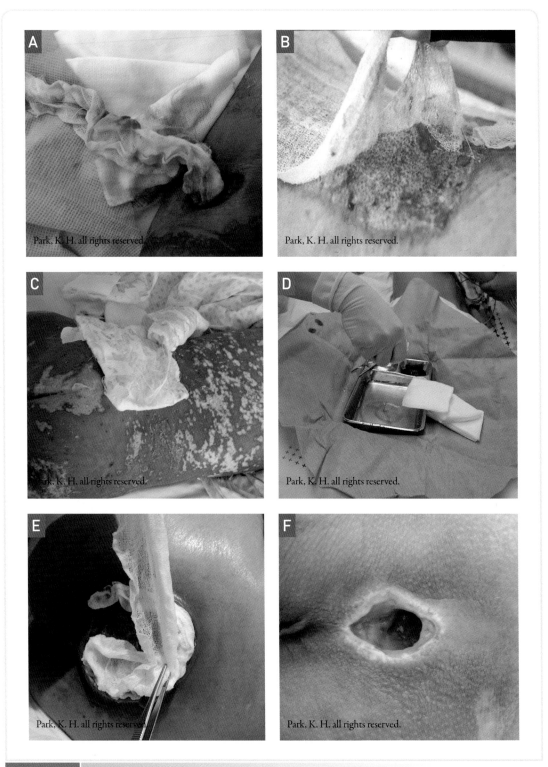

	습건식 드레싱을 이용한 물리적 방법
그림 6-10	A. 건강한 조직이 손상받아 출혈되고 있음 B. 거즈에 괴사조직이 묻어 있음 C. 감염성 괴사조직이 제거되고 있음
	D. 거즈를 생리식염수에 묻히고 있음 E. 생리식염수를 묻힌 습식거즈를 패킹함 F. 상처주위피부가 짓무른 모습

(2) 세척(irrigation)

- 용액에 압력을 주어 세척하는 방법으로, 고압 세척은 35mL 주사기에 19G 바늘을 이용하여 8~12psi의 압력으로 세척액이 상처에 도달하게 하여 괴사조직을 제거하는 것이다(그림 6-11).

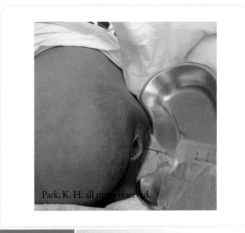

그림 6-11   세척을 이용한 물리적 방법

적응증

- 괴사가 심한 상처, 감염된 상처

사용지침

- 세척액으로는 생리식염수가 가장 많이 쓰이며, 감염된 급성상처의 경우에는 희석된 항균용액을 이용하기도 한다.
- 주사기에 바늘을 연결하지 않고 직접 세척하게 되면 4psi 미만의 압력이 가해지게 되는데, 이것은 괴사조직을 제거하기에는 충분하지 않다.

주의점

- 고압세척(high-pressure irrigation) 방법은 건조가피보다는 부육조직이 있는 상처에 적당하며 상처 기저부가 깨끗해지면 중단해야 한다.
- 세척 시 상처삼출물이 대상자나 상처전문가에게 옮겨질 수 있으므로 마스크, 고글, 장갑 등 개인적인 방어 도구를 착용하여 오염되지 않도록 한다.

5) 화학적 방법

- 효소제제를 이용한 효소 괴사조직제거술(enzymatic debridement)이 화학적 방법에 속한다. 효소제제는 피브린·세균·백혈구·장액성 삼출물·DNA 같은 부육조직을 직접 소화시켜 버리거나 상처기저부에 있는 혈관 없는 조직을 지탱하고 있는 콜라겐을 직접 녹임으로써 괴사조직을 제거한다. 이 방법은 선택적 괴사조직 제거방법 중 하나이며, 크릴새우·게·파파야·소·세균 등과 같은 다양한 원료에서 추출된 효소를 이용한다(그림 6-12).

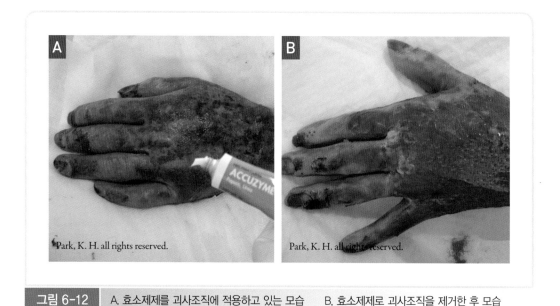

그림 6-12 A. 효소제제를 괴사조직에 적용하고 있는 모습 B. 효소제제로 괴사조직을 제거한 후 모습

적응증

- 괴사조직이 있는 만성상처

금기증

- 건강한 육아조직이 대부분인 상처

사용지침

- 효소제제 사용은 제품마다 다르므로 제조회사의 지침서를 주의 깊게 참고하여 효소의 효과를 최대화할 수 있는 상태에서 적용하도록 한다.
- 대부분의 상처세척제와 국소치료제에 포함되어 있는 은, 아연 같은 금속 성분이 효소를 불활성화할 수 있으므로 효소제제 사용 전에 철저히 세척해 내는 것이 중요하다.
- 건조한 환경에서는 효과적이지 않으므로 건조가피가 있는 경우는 십자 모양으로 선을 그어(cross-hatching) 효소가 상처표면까지 도달하도록 한다.
- 일단 건조가피가 분리되고 주변조직과의 경계가 나타나기 시작하면 효소제제를 주변조직과의 경계부분에 발라주면 괴사조직의 분리가 빨라진다.

주의점

- 건강한 조직이 나타나고 괴사조직이 제거되면 효소제제 사용을 중단한다.
- 건강한 조직에 손상을 줄 수 있으므로 주의해야 하며, 파파인(papain)을 포함하고 있는 제품이 건강한 피부에 닿았을 때 일시적인 홍반과 가려움증을 유발할 수 있으므로, 상처주위피부를 보호할 수 있는 보호제를 사용하는 것이 좋다.

4. 괴사조직 제거의 원칙

표 6-2	건조한 괴사조직 제거의 원칙

구분	원칙

건조가피로 덮여 있고 혈류가 없으며
감염이 있는 경우

외과적 괴사조직제거술로 제거하기 위해 의사에게 의뢰한다.

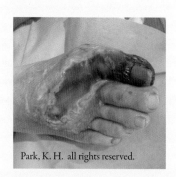

건조가피로 덮여 있고 혈류가 없으며
감염이 없는 경우

소독제를 발라 가피를 건조하게 유지하며 괴사조직 제거는 하지 않는
다. 단, 괴사조직이 너무 두껍게 된 경우에는 상처기저부가 노출되지 않
을 정도까지 상처가장자리부터 지속적으로 다듬는다.

건조가피로 덮여 있고 혈류가 있으며
감염이 없는 경우

보존적 괴사조직제거술로 제거가 가능하다.

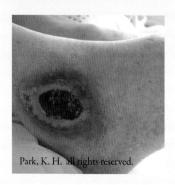

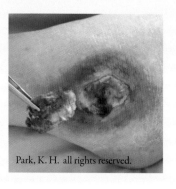

표 6-3	괴사조직 제거방법 선택의 알고리즘

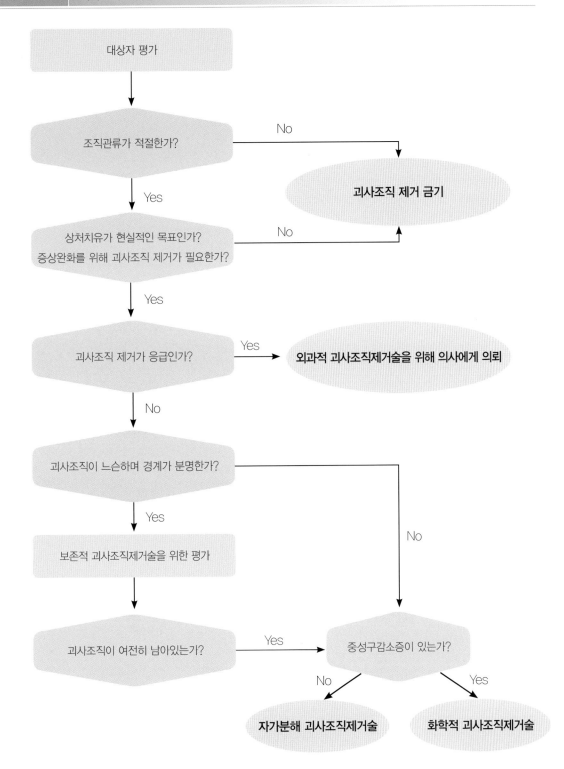

7

그림으로 보는

상처관리 제품

그림으로 보는

상처관리 제품

상처전문가에게 가장 기대되는 실무적인 역할 중 하나는 드레싱을 통해 다양한 상처관리 제품을 적절히 선택하여 상처에 적용하는 것이다. 그러므로 드레싱 방법의 분류와 드레싱제를 포함하는 상처관리 제품에 대한 해박한 지식을 바탕으로 실제 활용 가능한 드레싱 방법과 제품을 적용해야 한다.

1. 드레싱 방법의 분류

- 드레싱은 기본적으로 상처를 청결하게 유지하여 감염을 줄이고 새로운 조직의 형성을 촉진하여 빠른 치유를 유도하는 행위로, 상처치유를 도모하기 위해 드레싱제를 선택 시 가장 먼저 드레싱 방법을 결정해야 한다.
- 드레싱 방법은 기준에 따라 다양하게 나눌 수 있다. 드레싱을 함으로써 습기 유지 정도, 액체와 가스 투과성 정도 등 기능에 따라 유형을 분류하고, 드레싱제 적용 순서와 형태에 따라서도 분류할 수 있다.
- 드레싱을 하거나 드레싱제를 선택하기 전에 반드시 상처에 대한 사정이 먼저 이루어져야 한다.

1) 습기의 유지 정도에 따른 분류

(1) 습윤함유(moist-retentive) 드레싱

- 삼출물이 많은 상처로부터 지나친 습기(예: 삼출물)를 흡수하거나(moisture absorbed) 너무 건조한 상처에 습기를 제공하여(moisture donated) 상처에 적합한 습윤 환경을 조성함으로써 상처치유를 돕는 드레싱 방법이다(그림 7-1). 보통 습윤 드레싱제를 이용한다.

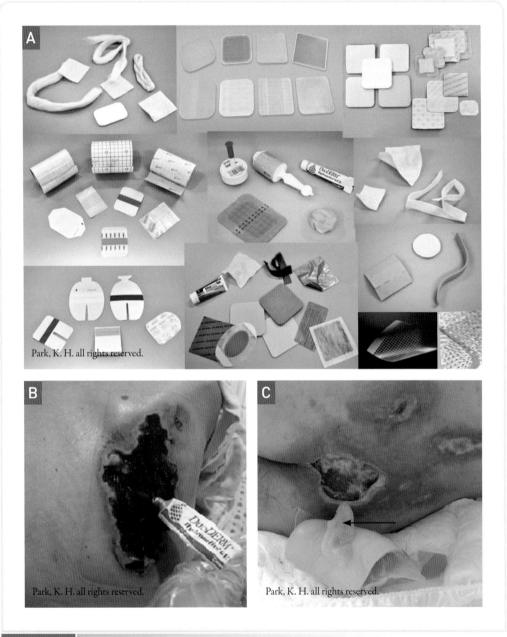

습윤함유 드레싱

그림 7-1

A. 다양한 습윤 드레싱제　B. 건조한 괴사조직에 습기를 주기 위해 하이드로젤 드레싱제를 적용하는 모습
C. 지나친 삼출물의 흡수를 위해 하이드로화이버 드레싱제와 폼 드레싱제를 상처에 적용한 후 제거하는 모습

(2) 습식(wet-to-wet) 드레싱

- 일반적으로 소독제나 생리식염수를 적신 거즈와 같은 드레싱제를 상처에 적용한 후 젖은 드레싱제가 건조해지기 전에 교체하여 드레싱제가 마르지 않게 유지하는 방법이다. 청결한 개방상처에 적용하여 상처가 습기를 계속 유지하도록 한다(그림 7-2).

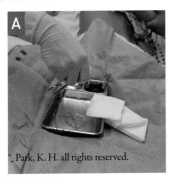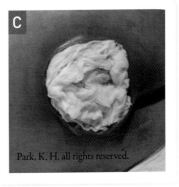

그림 7-2	**습식 드레싱** A. 거즈에 적신 용액이 아래로 떨어지지 않을 정도로 습식 거즈를 준비 B. 뭉쳐진 습식 거즈를 고르게 펴기　C. 습식 거즈를 상처에 느슨하게 패킹함

(3) 습건식(wet-to-dry) 드레싱

- 습식 드레싱과 같은 방법으로 적용하고 젖은 드레싱제가 건조해지면 제거하는 드레싱 방법이다. 이때 건조한 드레싱제에 달라붙어 있는 괴사조직을 제거해야 하는 경우에는 유용한 방법이지만, 정상조직도 괴사조직과 함께 제거되고 드레싱제를 떼어내는 과정에서 대상자에게 통증을 주는 단점이 있다(그림 7-3).

그림 7-3	습건식 드레싱

(4) 건식(dry) 드레싱

- 거즈와 같은 드레싱제에 다른 물질을 적시지 않고 드레싱제를 건조한 채로 적용하는 유형이다. 상처의 삼출물이 많은 경우에 흡수하는 기능과 상처 외부로부터 상처를 제한적으로 보호하는 기능만이 있다(그림 7-4).

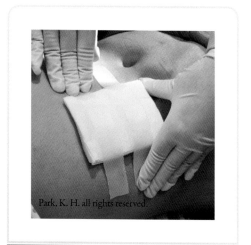

그림 7-4 건식 드레싱

2) 투과성 정도에 따른 분류

(1) 폐쇄(occlusive) 드레싱

- 액체와 가스, 세균 모두 투과시키지 않는 폐쇄 드레싱제를 사용하는 방법이다. 상처를 외부환경으로부터 보호하고, 밀폐 환경이 상처와 외부를 단절시켜 습윤한 환경을 조성하고 인위적으로 상처에 산소결핍을 유발하여 활성인자(시토카인)의 생성 및 혈관 신생을 가속화하여 상처치유를 빠르게 한다. 그러나 완전 밀폐된 환경은 미생물(특히 혐기성 균)이 성장할 우려가 있으므로 적용 시 주의한다(그림 7-5).

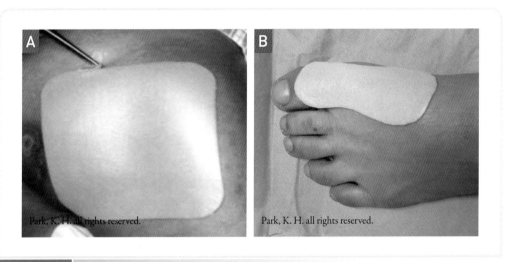

그림 7-5	**폐쇄 드레싱** A, B. 하이드로콜로이드 드레싱제를 적용한 모습

(2) 반폐쇄(semi-occlusive) 드레싱

- 가스는 투과시키나 액체와 세균은 투과시키지 못하는 반폐쇄 드레싱제를 사용하는 방법으로 폐쇄 드레싱과 같이 습윤한 환경을 조성한다. 폐쇄 드레싱의 장점을 취하는 동시에 상처 내부에서 세균 등에 의해 발생한 유해 가스를 상처 외부로 배출하는 것이 가능하다. 현재 많은 폐쇄 드레싱제들이 반폐쇄 드레싱제의 형태로 출시되고 있어 반폐쇄 드레싱 방법이 널리 사용되고 있다. 대부분의 폼 드레싱제(그림 7-6 A)와 하이드로콜로이드 드레싱제(그림 7-6 B)를 이용한다.

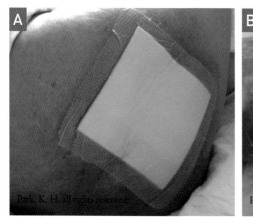
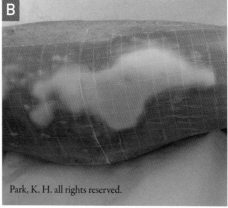

그림 7-6	반폐쇄 드레싱
	A. 폼 드레싱제를 적용한 모습 　 B. 하이드로콜로이드 드레싱제를 적용한 모습

(3) 반개방(semi-open) 드레싱

- 액체와 가스, 세균 모두 투과가 가능한 거즈와 같은 드레싱제를 적용한 방법이다. 외부와 액체 및 가스의 교환이 이루어지며, 상처와 외부 환경을 분리할 수 있지만 외부환경으로부터 상처를 보호하는 기능은 제한적이다(그림 7-4 참조).

(4) 개방(open) 드레싱

- 상처를 드레싱제로 따로 덮지 않고 상처를 외부에 그대로 노출시켜 놓는 방법이다. 상처는 외부와 액체, 가스 등을 자유롭게 교환하며 외부 환경에 노출된 상처는 쉽게 건조해지기 쉽다. 외부로부터 상처가 보호받지 못하기 때문에 개방상처보다는 어느 정도 치유가 진행된 수술상처에 사용하는 것이 적합하다(그림 7-7).

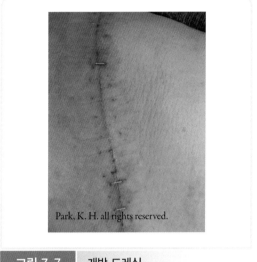

| 그림 7-7 | 개방 드레싱 |

3) 드레싱제 적용 순서에 따른 분류

(1) 일차(primary) 드레싱

- 상처 부위에 드레싱제를 직접 적용하는 방법으로 삼출물의 흡수나 습윤 유지와 같은 역할을 한다 (그림 7-8 A).

(2) 이차(secondary) 드레싱

- 일차 드레싱으로 사용된 드레싱제의 안정성이나 접착력을 위해 추가로 상처를 덮거나 고정이 필요한 경우에 사용하는 방법이다(그림 7-8 B).

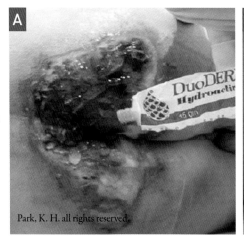
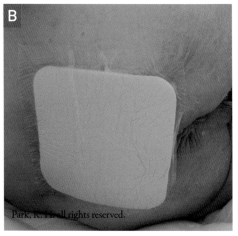

| 그림 7-8 | A. 괴사조직에 일차 드레싱 방법으로 하이드로젤을 적용하는 모습 |
| | B. 폼 드레싱제로 일차 드레싱을 한 후 고정을 위해 필름 드레싱제로 이차 드레싱을 한 모습 |

4) 드레싱 적용 형태에 따른 분류

(1) 채우는(filler) 드레싱

- 깊은 공동이나 잠식이 있는 상처를 채워주는 드레싱 방법이다(그림 7-9 A, B).

(2) 덮는(cover) 드레싱

- 표층 상처에 붙이거나 채우는 드레싱 후에 덮어주는 드레싱 방법이다(그림 7-9 C).

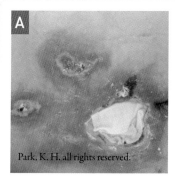
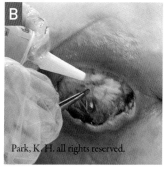
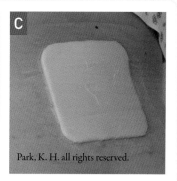

| 그림 7-9 | A, B. 채우는 드레싱   C. 덮는 드레싱 |

2. 드레싱제와 습윤 환경

상처치유를 위해 적절한 습윤 환경을 유지하는 것은 중요한 상처관리의 기본원칙이다. 적정 수준의 습윤 상태가 상처치유의 속도를 높이고 미용효과도 크다.

1) 드레싱제의 습윤 정도와 투습도

- 드레싱제의 삼출물 흡수 정도와 습기 유지 또는 제공하는 정도에 따라 상처의 습윤 정도가 유지된다.
- 드레싱제의 습윤 정도는 투습도(moisture vapor transmission rate, MVTR/water vapor transmission rate, WVTR)로 설명한다. 투습도는 상처기저부에서 드레싱제를 통해 습기를 배출하는 능력이며, 이는 곧 드레싱제의 습기 유지 정도를 의미한다. 즉, 일반적으로 투습도가 낮은 드레싱제는 투습도가 높은 드레싱제보다 상처기저부로 하여금 더 많은 습기를 보유하도록 한다.
- 투습도는 $g/m^2/24hrs$로 표시한다(표 7-1).

표 7-1	피부와 일반적인 드레싱제의 투습도 비교	
	구분	투습도($g/m^2/24hrs$)
피부	정상 피부	96~216
	부분층, 전층 피부손상	1,920~2,160
드레싱제	거즈	1,600
	투명필름	400~600
	하이드로콜로이드	0~300
	하이드로젤	50~400
	알지네이트	330~390
	폼	600~1,000

- 투습도가 약 $840/m^2/24hrs$보다 적어야 습윤 드레싱제라고 하고, $1,000/m^2/24hrs$보다 낮으면 폐쇄 드레싱제에 가깝고, $1,000/m^2/24hrs$보다 높으면 반폐쇄 드레싱제에 가깝다고 평가한다.
- 투습도는 드레싱제마다 다양한데, 일반적으로 낮은 투습도를 가진 폐쇄 드레싱제는 건조하거나 삼출물이 적은 상처에 적용함으로써 상처기저부에 습기를 주어 상처기저부를 습윤하게 유지한다 (그림 7-10 A, B).
- 반대로 삼출물이 많은 상처인 경우 투습도가 높은 드레싱제를 적용하여 상처기저부로부터 습기를 공기 중으로 배출하여 적절한 습윤 상태를 유지한다(그림 7-10 C, D).

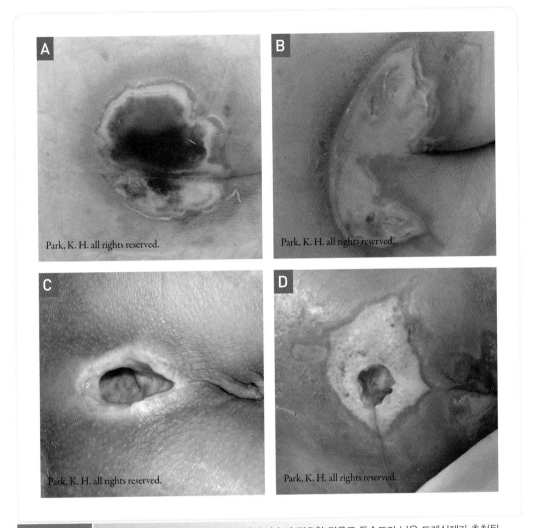

그림 7-10	A. B. 상처에 건조한 괴사조직이 있어 가습이 필요한 경우로 투습도가 낮은 드레싱제가 추천됨
	C. D. 지나친 삼출물로 상처주위피부가 짓무르거나 축축한 경우로 투습도가 높은 드레싱제가 추천됨

2) 습기를 흡수하거나 제공하는 드레싱제

상처의 적합한 습윤 상태를 유지하기 위해 삼출물이 많은 상처로부터 지나친 습기(예: 삼출물)를 흡수하는 드레싱제(moisture absorbed dressing)와 너무 건조한 상처에 습기를 제공하는 드레싱제(moisture donated dressing)로 구분할 수 있다(그림 7-11).

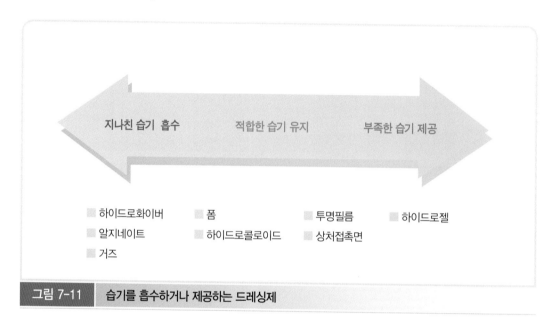

| 그림 7-11 | 습기를 흡수하거나 제공하는 드레싱제 |

3. 드레싱제의 분류

1) 필름 드레싱제(Film dressing)

필름은 아크릴 접착제가 코팅된 폴리우레탄 성분의 얇고 투명한 반투과성 막이다.

특징

- 접촉면과 비접촉면에 비닐 커버나 종이가 붙어 있는데, 비접촉면의 비닐 커버는 접촉면의 비닐 또는 종이 커버를 떼어 낸 후, 상처에 제품을 부착할 때 드레싱의 모양을 유지하기 어려우므로 일시적인 지지를 위해 부착한 것이다(그림 7-12 A, B).
- 접촉면을 먼저 떼어낸 후 상처에 붙이고 그다음에 비접착면 위의 커버를 떼어 내도록 한다(그림 7-12 C, D).

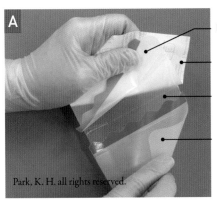
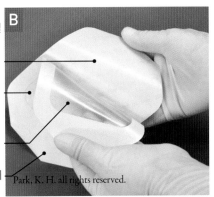

비접촉면 커버: 비닐
접촉면 커버: 종이
비접촉면: 폴리우레탄 필름
접촉면: 아크릴 접착제
비접촉면 커버: 종이

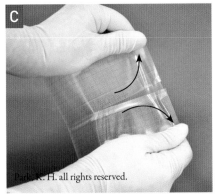
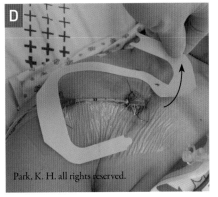

비접촉면 양쪽을 살짝 잡아당긴 후 접촉면을 상처에 부착하고, 비접착면 커버를 양쪽으로 벗기기

제품의 종이 커버를 그대로 둔 채 접촉면을 상처에 부착 후 종이 테두리를 제거하기

그림 7-12   A, B. 필름 드레싱제의 구성   C, D. 필름 드레싱제의 부착법

- 상처기저부와 외부 환경 간의 산소와 수증기의 교환이 가능하다.
- 방수가 가능하여 액체는 통과되지 않으며 외부로부터 세균의 침입을 방어하고 외상으로부터 보호한다.
- 상처의 자가분해를 도모하기 위해 건조가피로 덮인 상처에 적용하면 가장 빨리 습윤 치유환경을 조성할 수도 있다.
- 습윤한 환경을 조성하여 상처에 딱지가 생기거나 건조가피가 생기는 것을 예방한다.
- 상품에 따라 정도의 차이는 있으나 매우 얇고 유연한 투명필름으로 상처관찰이 용이하고 탄력성이 있다(그림 7-13 A).
- $400\sim800g/m^2/24hrs$ 범위의 낮은 투습도를 가지고 있고, 투습도가 $11,000g/m^2/24hrs$ 이상으로 높은 것(정맥주사 부위 관리용)도 있다(그림 7-13 B).

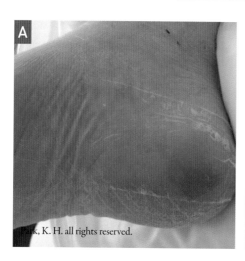
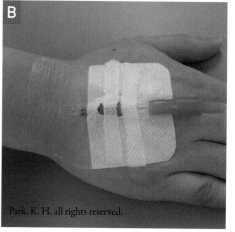

그림 7-13   **필름 드레싱제를 적용한 예**
A. 욕창 1단계   B. 정맥주사 부위

적응증

- 부분층 피부손상
- 최소한의 삼출물이 있거나 없는 상처
- 청결한 상처, 괴사조직 있는 상처
- 찰과상
- 1도 화상
- 마찰에 의한 욕창 예방
- 정맥주사 부위
- 드레싱이나 배액관 고정용

사용법 및 주의점

- 상처면 가장자리에서 필름 드레싱제를 잡아당기면 피부 위에 지나친 장력이 작용한다. 드레싱제 부착 시에 방사형으로 피부를 살짝 잡아당겨 부착하여, 중심에서 가장자리로 당겨지지 않도록 단단히 누르면서 붙인다(그림 7-14).

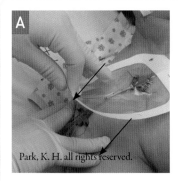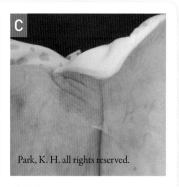

그림 7-14	**필름 드레싱제의 부착**
	A. 피부를 방사형으로 조금 잡아당겨 올바르게 부착하고 있는 모습
	B, C. 주름이나 골진 부위의 피부가 접힌 상태로 잘못 부착된 모습

- 모발이 있거나 습윤한 표면에는 부착하기 어려우므로 상처주위피부를 거즈로 닦아 건조하게 하거나 피부의 모발을 제거한 후 부착한다.
- 땀이나 삼출물 등은 수분 흡수가 거의 안 되어 쉽게 상처에서 떨어질 수 있으므로 상처주위피부에 약 4~5cm 정도는 여유 있게 붙인다.
- 상처 크기가 큰 경우, 필름 드레싱제를 겹쳐서 덮을 수 있다.

- 접착력이 강하므로 드레싱 제거 시 통증을 유발할 수 있다. 또한 피부가 손상될 수 있으므로 피부를 아래로 누르면서 제품의 모서리를 들고 상처 바깥을 향해 평행 방향으로 잡아당기면서 제거한다. 모발 성장 방향으로 당겨 피부 손상을 예방하며, 모발이 제거되지 않도록 한다(그림 7-15).

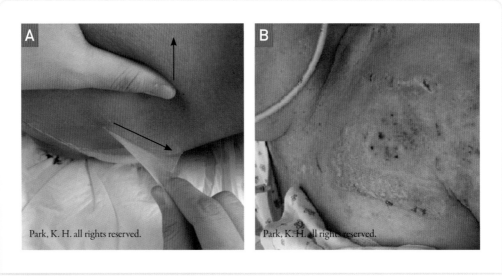

그림 7-15	**필름 드레싱제의 제거** A. 피부는 누른 채 드레싱제를 부착된 방향과 평행 방향(➞)으로 당기면서 올바르게 제거하고 있는 모습 B. 드레싱제 제거 시 피부가 손상된 모습

- 피부가 손상받기 쉬운 경우, 따뜻한 물로 적셔서 피부로부터 드레싱제가 떨어지도록 하거나 피부잔여물제거제를 사용하면 피부가 손상되지 않으면서도 드레싱제를 쉽게 제거할 수 있다(그림 7-16).

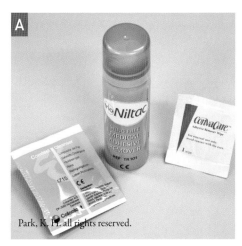
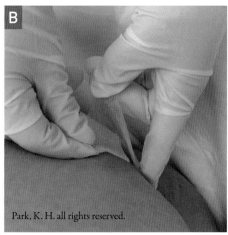

그림 7-16　A. 피부잔여물제거제　　B. 피부잔여물제거제를 이용하여 필름 드레싱제를 제거하는 모습

- 흡수력이 전혀 없으므로 삼출물이 많은 상처에는 적용하지 않으며, 지나친 삼출물은 조절이 안 되고 피부가 짓무를 수 있다.
- 드레싱제는 보통 2~3일 동안 유지할 수 있으나, 삼출물이 없으면 7일까지도 교환하지 않고 유지할 수 있다. 그러나 삼출물이 새거나 드레싱제의 가장자리가 말려 올라가거나 스스로 떨어진 경우, 상처면에 육아조직이 지나치게 형성되었을 경우는 교환한다(그림 7-17).

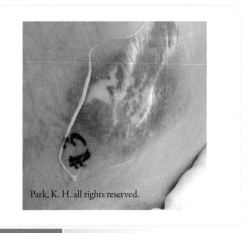

그림 7-17　필름 드레싱제의 가장자리가 말려진 모습

- 삼출물이 증가하여 드레싱제의 아래에 삼출물이 반복적으로 고일 경우(p.149 Point A), 상처와 상처주위피부가 짓무를 수 있으므로 흡수력이 높은 다른 제품을 선택한다.
- 상처 부위에 감염 증상(홍반, 통증, 부종, 열, 과도한 농성 삼출물)이 있는 경우, 필름 드레싱제의 사용을 중지한다.
- 롤 형태 제품은 가격이 저렴하나 멸균 처리가 되어 있지 않아서 드레싱제 고정, 누공 관리, 장루 제품 고정 등의 용도로만 사용한다(그림 7-18).

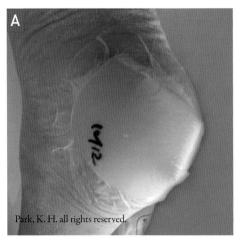
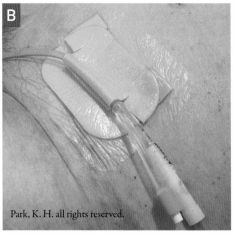

그림 7-18	롤 형태의 필름 드레싱제를 적용한 예
	A. 드레싱제 고정 B. 튜브 고정

Point

· 필름 드레싱제 아래에 적은 양의 체액이 쌓이는 것은 정상이나, 삼출물이 고일 경우 미생물 성장의 배지가 될 수 있으므로 멸균법(삼출물이 고인 투명필름은 그대로 둔 채, 그 윗부분을 소독하기)을 이용해 주삿바늘로 삼출물을 흡인한다. 바늘로 찌른 부위는 다시 작은 필름으로 덧대어 드레싱한다. 단, 필름 드레싱제가 벗겨져 상처가 오염된 경우에는 드레싱제를 교환하고, 삼출물이 너무 많이 고이는 경우에는 다른 드레싱제로 교환한다.

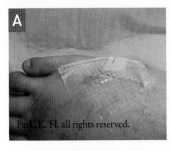
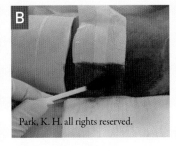
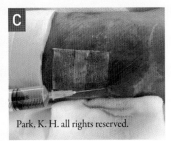

A. 필름 드레싱제 아래에 삼출물이 고인 상태
B. 주사기로 흡인할 부위 소독하기
C. 삼출물을 흡인하기

드레싱제

제품	제조사 또는 판매자
IV3000, OpSite FLEXIGRID, OpSite Flexfix	Smith & Nephew
Mepore film	Mölnlycke Health Care
Reno Care Film	T & L
Tegaderm, Tegaderm Hp	3M Health Care

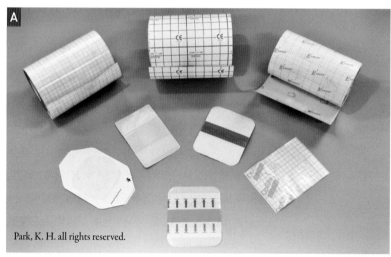

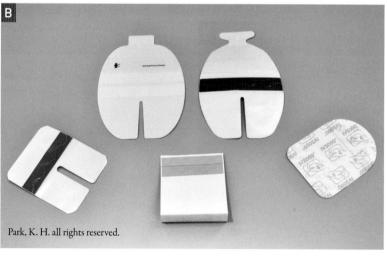

그림 7-19　**필름 드레싱제**

2) 하이드로콜로이드 드레싱제(Hydrocolloid dressing)

하이드로콜로이드는 무정형 콜로이드로 삼출물을 흡수하면서 액체성 젤로 변하며, 비교적 투습도가 낮은 폐쇄·반폐쇄 드레싱제이나 대부분 반폐쇄 드레싱제의 형태로 출시되고 있다.

특징

- 윗면인 보호층은 폴리우레탄 필름과 폼 층으로 되어 있어 수분과 미생물의 투과는 불가능하지만 가스와 수증기는 통과할 수 있다. 상처에 닿는 접촉층인 하이드로콜로이드는 펙틴(pectin), 젤라틴(gelatin), 카르복시메틸셀룰로스(carboxy methylcellulose)로 구성되어 있다(그림 7-20).

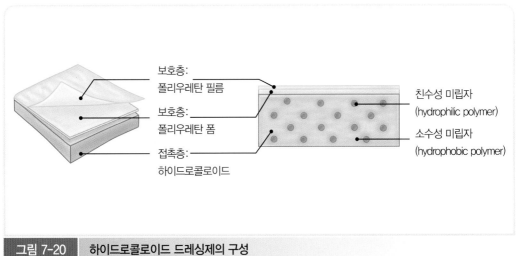

| 그림 7-20 | 하이드로콜로이드 드레싱제의 구성 |

- 하이드로콜로이드의 주된 성분은 접촉층의 카르복시메틸셀룰로스로 상처의 삼출물과 만나면 젤을 만든다(그림 7-21).
- 폐쇄 또는 반폐쇄 환경을 제공하며 산소가 상처기저부로 들어가지 못하게 하며 이런 상처의 저산소 상태가 새로운 혈관을 만들게 하는 자극이 되어 상처치유가 된다(그림 7-22).

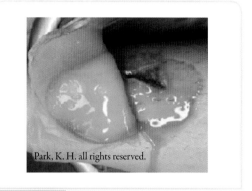

| 그림 7-21 | 젤로 변한 하이드로콜로이드 |

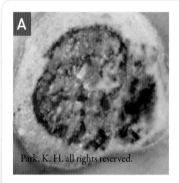 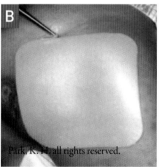 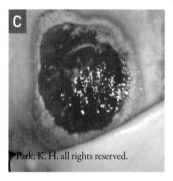

그림 7-22	A. 피하조직과 괴사조직이 보임(치료 전)
	B. 하이드로콜로이드 드레싱제 적용
	C. 붉은색 육아조직이 자라고 상처가장자리로부터 분홍색 상피화가 되고 있음(치료 2주 후)

- 대부분 불투명한 막으로서 드레싱 제거 전에는 상처 관찰이 어렵다는 것이 단점이지만, 투명한 제품도 있다(그림 7-23).

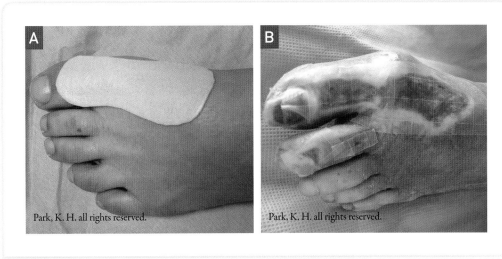

| 그림 7-23 | A. 상처기저부를 볼 수 없는 불투명 하이드로콜로이드 드레싱제 |
| | B. 드레싱제 아래로 붉은색 육아조직을 볼 수 있는 투명한 하이드로콜로이드 드레싱제 |

- 세균과 삼출물을 흡수하거나 수분을 제공하여 괴사조직의 자가분해를 돕는다.
- 드레싱은 삼출물이나 수분과 접촉한 후 반고형성 젤로 변화하며 드레싱제 교환 시 새로 형성된 육아조직에 손상을 주지 않고 제거할 수 있다.
- 접촉층은 건조한 피부에도 잘 부착되나, 상처에서는 젤화되면서 접착력은 감소한다. 판(wafer), 연고(paste), 분말(powder), 고리(ring) 등 다양한 형태가 있다(그림 7-29 참조).

적응증

- 경증, 중등도 삼출물의 상처, 1·2·3단계 욕창
- 청결상처, 육아조직이 있는 상처, 피부박리 부위, 2도 화상
- 상처가 넓고 편평한 정맥성 궤양
- 찰과상
- 피부이식 공여 부위
- 괴사조직을 자가분해할 경우
- 상처주위나 각종 튜브주위의 피부를 보호할 경우(그림 7-24)

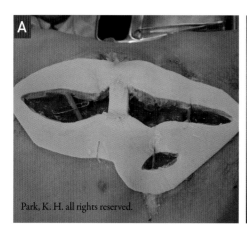
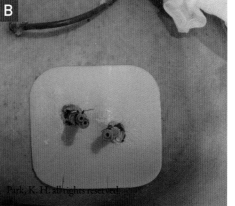

그림 7-24 누공주위 피부의 보호를 위해 하이드로콜로이드 드레싱제가 사용된 예

사용법 및 주의점

- 하이드로콜로이드 성분은 체온 정도에서 가장 효과적으로 접착하기 때문에 드레싱제를 적용한 후 30~60초 정도 손으로 드레싱제를 가볍게 눌러주는 것이 권장된다.
- 하이드로콜로이드 드레싱제 중 일부 폐쇄 드레싱제는 완전 밀폐 환경을 만들어 미생물의 성장을 촉진하여 농양을 형성하게 하므로 심하게 오염되었거나 감염된 상처(특히 혐기성 균), 완전히 건조 가피로 덮인 상처, 허혈성 상처, 3도 화상에 적용할 때는 주의한다(그림 7-25).

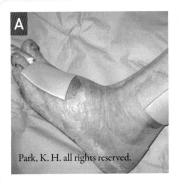
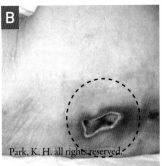
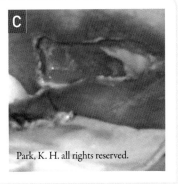

그림 7-25	A. 하이드로콜로이드 드레싱제 적용이 금기인 허혈성 상처에 잘못 적용한 예
	B. 폐쇄성 하이드로콜로이드 드레싱제를 염증 있는 괴사조직에 적용하여 농양이 형성된 모습
	C. 상처의 농양(B)을 배액한 모습

- 삼출물이 많은 상처에 적용 시 피부가 짓무를 수 있다(그림 7-26).

- 드레싱제 제거 전에는 상처관찰에 어려움이 있고, 잦은 관찰이 필요한 상처는 하이드로콜로이드 드레싱제의 효과를 상실하게 되므로 다른 드레싱제를 적용하는 것이 좋다.

- 보통 일주일에 1회나 2회 드레싱제를 교환해도 되는 것으로 알려졌으나, 만약 상처의 젤이 상처기저부를 넘어 주위피부로 번져가는 것이 관찰되면 즉시 교환해야 한다.

- 상처 삼출물이 많아 하이드로콜로이드 드레싱제가 흡수해내지 못할 때, 드레싱제 교환 주기가 증가할 때, 하이드로콜로이드 드레싱제의 적용을 멈춘다.

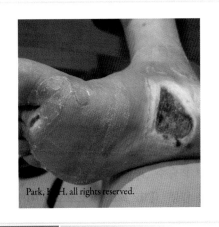

그림 7-26	하이드로콜로이드 드레싱제를 적용하여 상처주위피부가 짓무른 모습

- 단단한 괴사조직은 교차 해칭(cross-hatching)을 넣은 후 적용하면 신속히 녹여낼 수 있다(그림 7-27).
- 육아조직이 상처표면까지 자란 경우이거나 과형성되었을 경우는 적용을 중단한다(그림 7-28).

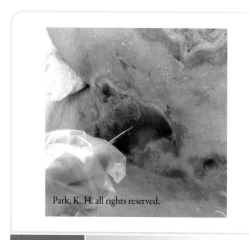

그림 7-27 교차 해칭하는 모습

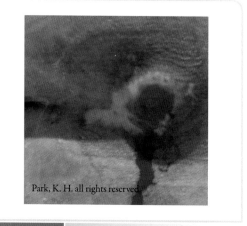

그림 7-28 육아조직이 과형성되어 출혈이 있는 모습

Point

- 하이드로콜로이드가 삼출물과 만나 젤을 형성한 상태에서는 누런 농(pus)과 같고 냄새가 좋지 않아 상처 감염과 혼동하기 쉽다. 그러므로 상처 사정 시에는 생리식염수로 삼출물을 세척한 후 평가를 해야 한다.

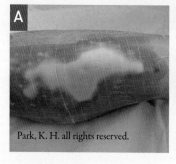

A

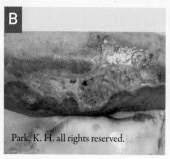

B

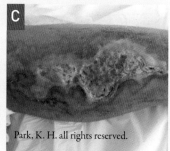

C

A. 삼출물이 드레싱제 안에 고인 모습
B. 드레싱제를 제거한 직후, 상처에 농이 있는 것처럼 보인 모습
C. 생리식염수로 씻은 후에는 깨끗한 육아조직이 선명한 모습

드레싱제

제품	제조사 또는 판매자
Comfeel Transparent, Comfeel Plus Ulcer, Comfeel Paste, Comfeel Powder	Coloplast
DuoDERM Extra Thin, DuoDERM CGF, DuoDERM Paste, Stomahesive Powder	ConvaTec
Easyderm Plus Thin	CGBIO
Elect Hydro, Elect Hydro Border	Smith & Nephew
Medifoam H	Mundipharma
Meditouch H	Ildong
RepliCare, RepliCare Ultra	Smith & Nephew
Tegaderm Hydrocolloid, Tegasorb	3M Health Care

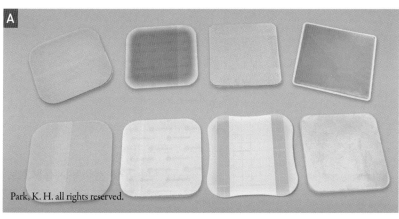

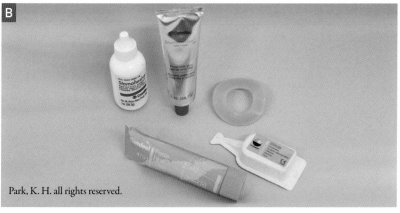

그림 7-29 하이드로콜로이드 드레싱제
A. 판 형태   B. 연고, 분말, 고리 형태

3) 하이드로젤 드레싱제(Hydrogel dressing)

하이드로젤은 글리세린이나 물이 주성분으로 상처에 습기를 주기 위해 고안된 것이다.

특징

- 무정형 젤은 상처에 가습하여 세포의 이동을 위한 촉촉한 상처 환경을 유지하며, 특히 괴사조직에 습기를 제공하여 자가분해를 촉진하는 데 주로 사용한다. 펙틴, 카르복시메틸셀룰로스, 프로필렌 글리콜(propylene glycol)과 물이 주성분인데, 상품에 따라 물이 94%를 차지하는 것부터 글리세린(glycerin)이 96%를 차지하는 것까지 매우 다양하다(그림 7-30).
- 신경말단을 촉촉하고 시원하게 유지하고 부드럽게 하여 통증을 감소한다.
- 신체의 모양에 따라 다양하게 변하고, 상처에 달라붙지 않는다.

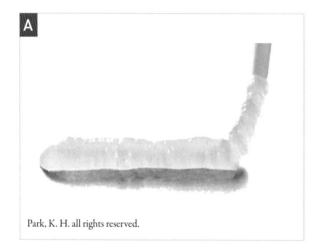
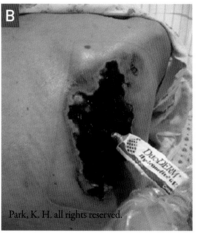

그림 7-30 A. 무정형의 하이드로젤 드레싱제　　B. 하이드로젤 드레싱제를 괴사조직에 적용하는 모습

- 무정형의 젤 드레싱제는 메트로니다졸, 단백질분해효소 등 국소적으로 적용하는 약을 묻혀 적용할 수 있다(그림 7-31 A).
- 시트형 젤 드레싱제는 대부분 폐쇄 드레싱제로 가피가 있거나 청결한 상처의 재상피화를 돕는 데 활용된다. 교차연결된 중합체(폴리에틸렌 옥사이드, 폴리아크릴아마이드, 폴리비닐피롤리돈)가 수분을 물리적으로 잡고 있다. 이것은 96%까지 물을 포함하고 있고 패치가 습윤하다고 느껴지지만 쥐어짜도 수분이 나오지는 않는다. 냉장보관 후에 이용하면 햇빛화상과 같은 경우, 상처를 시원하게 하는 느낌이 강화되어 효과적이다(그림 7-31 B).

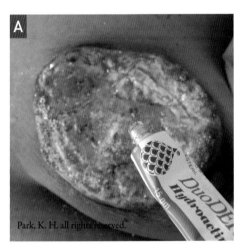
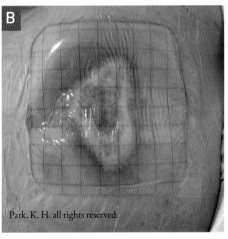

그림 7-31	A. 암상처에 메트로니다졸 파우더(흰색 가루)를 뿌린 후 하이드로젤을 적용하는 모습
	B. 시트형 하이드로젤 드레싱제를 적용한 모습

Point

많은 양의 하이드로젤 드레싱제를 공동과 같은 상처에 사용할 경우, 상처에 직접 적용하면 젤이 흘러내리는 경향이 있으므로 하이드로젤 드레싱제를 거즈에 묻혀 적용하기도 한다. 특히 상처 기저부에 괴사조직이 있을 때는 이러한 방법이 효과적이다.

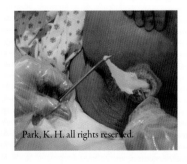

적응증

- 청결상처, 괴사상처, 감염상처(그림 7-32)
- 건조하거나 삼출물이 적은 상처

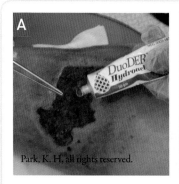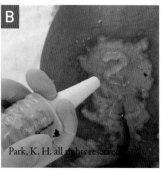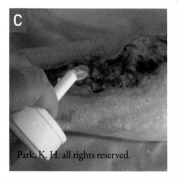

그림 7-32	하이드로젤 드레싱제를 적용한 예
	A. 청결상처 B. 괴사상처 C. 감염상처

사용법 및 주의점

- 무정형 젤은 최소한 5mm 두께로 적용한다.
- 무정형 젤은 보통 매일 교환하나, 청결한 상처에는 3일까지 남겨둘 수 있으며, 생리식염수나 증류수로 세척하여 제거한다.
- 젤을 적용함으로써 상처주위피부가 짓무르는 것을 예방하기 위해 피부보호필름을 바르거나, 하이드로콜로이드를 상처주위피부에 부착하면 도움이 되며, 시트형 젤은 무정형 젤보다 상처주위피부를 덜 짓무르게 한다(그림 7-33).
- 시트형 젤은 상처에 비해 너무 크게 붙일 경우 상처주위피부를 짓무르게 할 수 있으므로 상처 크기에 맞게 잘라 부착하고 테이프나 붕대로 고정한다.
- 무정형 젤 사용 시 이차 드레싱이 필요한데, 삼출물을 흡수하는 이차 드레싱인 폼 드레싱제 같은 것을 적용하면 이차 드레싱의 흡수력 때문에 하이드로젤이 상처에 가습하는 목적을 방해하므로 적절하지 않다고 하나, 폼 드레싱제가 삼출물을 흡수하고 유지하는 것과 같이 젤 형태를 오래 유지하므로 가장 좋다는 의견이 많다.
- 시트형 젤은 폐쇄 드레싱이므로 감염된 상처, 3도 화상, 삼출물이 많은 상처에는 사용하지 않는다.
- 단단한 괴사조직은 교차 해칭(cross-hatching)을 넣은 후 적용하면 신속히 녹여낼 수 있다(그림 7-34).

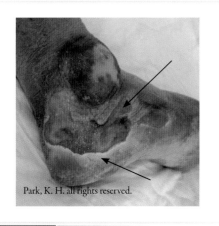

| 그림 7-33 | 하이드로젤을 과다적용 후 상처주위피부가 하얗게 짓무른 모습 |

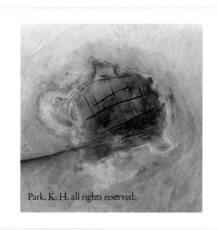

| 그림 7-34 | 하이드로젤 적용 전에 교차 해칭을 넣은 모습 |

드레싱제

제품	제조사 또는 판매자
DuoDERM Hydroactive Gel	ConvaTec
Hydrosorb, Hydrosorb comfort	HARTMANN
Hypergel, Norml gel Isotonic Saline gel	Mölnlycke Health Care
Intrasite Gel, Intrasite Comformable	Smith & Nephew
Purilon Gel	Coloplast
Tegagel	3M Health Care

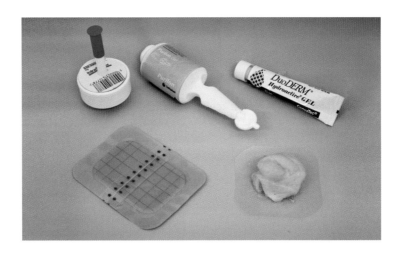

그림 7-35   하이드로젤 드레싱제

4) 알지네이트 드레싱제(Alginate dressing)

알지네이트 드레싱제는 상처의 삼출물을 흡수하면 나트륨알지네이트(sodium alginate) 젤을 형성하여 상처 표면을 습윤하게 유지한다.

특징

- 갈색 해조류에서 추출한 알긴산(alginic acid)과 칼슘염(calcium salts)으로 구성되어 있고, 상처의 삼출물과 같이 나트륨(sodium)이 포함된 물질과 만나면 칼슘이온이 나트륨이온으로 교환되어 젤을 형성한다.
- 보통 자신의 무게보다 15~20배 정도의 삼출물을 흡수할 수 있으며, 칼슘염으로 구성되어 있어 지혈효과가 있다(그림 7-36).

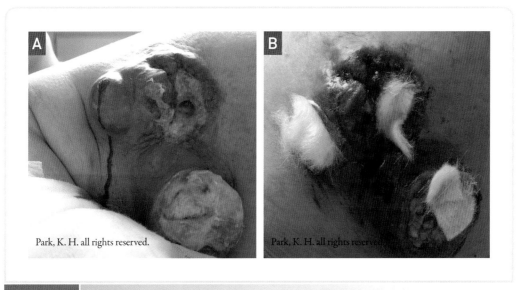

그림 7-36 A. 출혈되는 암상처　　B. 알지네이트 드레싱제를 적용한 모습

- 비접착성·비폐쇄·일차 드레싱제로 중정도에서 다량의 삼출물이 있는 상처에 시트나 로프 형태로 사용할 수 있다(그림 7-37 A, B).
- 공동(cavity)이나 잠식이 있는 경우 포셉으로 쉽게 뜯어서 채우는(패킹) 드레싱제로 이용하기 편리하고 상처 모양에 따라 변화가 용이하다(그림 7-37 C).

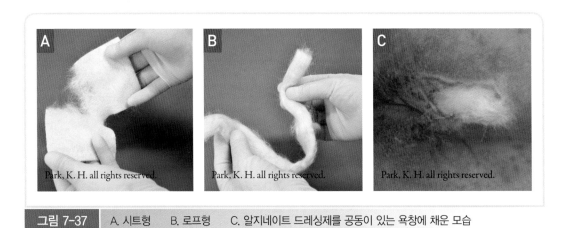

| 그림 7-37 | A. 시트형   B. 로프형   C. 알지네이트 드레싱제를 공동이 있는 욕창에 채운 모습 |

적응증

- 중정도의 삼출물이 있는 상처
- 화상, 감염상처, 출혈 부위, 습성표피박리(그림 7-38)
- 하지궤양, 욕창, 피부공여 부위, 출혈상처, 수술 후 지혈이 필요한 상처

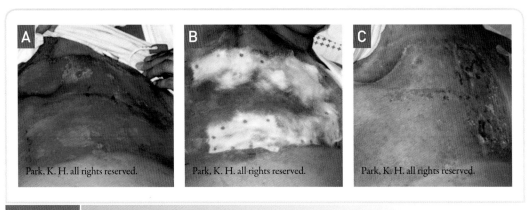

그림 7-38	A. 방사선치료에 의한 습성표피박리
	B. 중정도의 삼출물과 출혈이 동반한 부위에 알지네이트 드레싱제를 적용한 모습
	C. 거의 재상피화가 이루어진 모습

사용법 및 주의점

- 흡수성 드레싱제이므로 건조한 가피 등 괴사조직이 덮여 있거나 깨끗한 육아조직이 형성된 상처에는 효과가 없고, 축축한 상처면에만 적용한다.

- 드레싱제의 원래 섬유모양이 젤화되지 않으면 적용해서는 안 된다.

- 공동이 있는 경우에 너무 압박해서 채우지 않도록 하며, 동로 등 깊은 부위는 사용 후 철저히 세척하지 않으면 남은 잔여물이 감염원이 되므로 주의한다.

- 청결상처는 최대 7일까지 둘 수 있으나, 감염상처는 매일 교환해야 하고 젤이 점도를 잃으면 교환한다.

- 젤이 농이나 부육으로 혼동 가능하며, 젤 제거를 위해 생리식염수로 상처 세척이 필요할 수 있다.

- 건조하거나 삼출물이 적은 상처에 부적절하게 적용될 경우, 알지네이트 섬유가 상처기저부에 달라붙어 상처가 건조해지므로 주의한다.

- 알지네이트 드레싱제는 사용하기 전, 습기에 닿게 해서는 안 되며 젖은 상태에서 적용하면 안 된다.

- 삼출물을 흡수하며 팽창할 수 있는 공간이 있어야 하므로 드레싱제를 적용 시 상처면을 넘어서지 않도록 한다.

- 중간 정도의 삼출물이 있는 상처는 이차 흡수성 드레싱제 또는 반폐쇄 필름 드레싱제를 적용한다.

- 삼출물이 많은 상처의 경우, 거즈 또는 면패드와 같이 두꺼운 흡수성 드레싱제로 덮는다.

- 삼출물 흡수 시 젤화되어 피부를 짓무르게 할 수 있으므로 상처주위의 정상피부에 피부보호제를 바르고 드레싱 교환 주기는 삼출물의 양에 따라 조절한다.

- 이차 드레싱제가 젖은 경우, 드레싱제를 교환한다. 삼출물이 상당히 많은 경우, 드레싱 초기 3~5일 동안 매일 1회나 2회 정도 교환이 필요하다.

- 드레싱제 교환 시 기존 잔류하는 젤의 제거가 어려운 상처(깊은 누공, 동로 등)에는 사용하지 않으며, 드레싱 교환 시 젤로 변하지 않은 알지네이트는 제거해 버린다.

- 상처에 건강한 육아조직이 형성되고, 더 이상 삼출물이 없으면 사용을 중단한다.

Point

- 알지네이트 드레싱제 교환 시 상처에 남아있는 젤은 상처 회복을 지연시키므로 생리식염수를 이용해 세척해야 하며, 젤이 두꺼워 세척이 어려운 경우에는 상처면을 직접 닦아 제거한다. 그림은 알지네이트 드레싱 후 남아있는 젤이 건조되면서 가피를 형성하였고(➡) 가피 아래로 농이 고여 있는 모습이다.

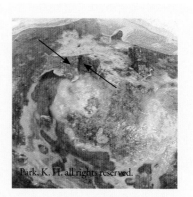

드레싱제

제품	제조사 또는 판매자
AlgiSite M	Smith & Nephew
Biatain Alginate	Coloplast
Kaltostat	ConvaTec
Tegaderm Alginate	3M Health Care

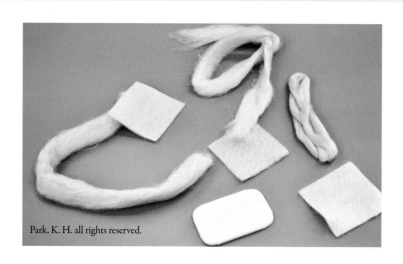

그림 7-39 알지네이트 드레싱제

5) 하이드로화이버 드레싱제(Hydrofiber dressing)

순수한 카르복시메틸셀룰로스로 구성되어 있고 삼출물을 흡수하면 신속히 젤로 변하여 습윤 환경을
유지한다(그림 7-40).

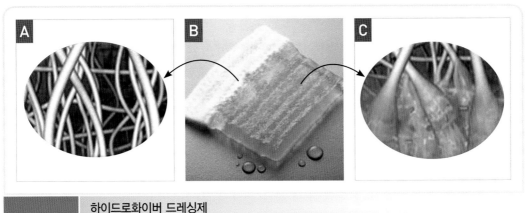

그림 7-40	하이드로화이버 드레싱제
	A. 삼출물을 흡수하기 전 B. C. 삼출물을 흡수한 후 젤화됨

특징

- 흡수능력이 뛰어나 거즈의 5배, 알지네이트의 2배로 1g당 30g을 흡수한다.
- 지나친 삼출물을 보유하고 삼출물을 수평방향이 아닌 수직방향으로 흡수하기 때문에 상처주위피부
의 짓무름을 최소화할 수 있다(그림 7-41 A).
- 동로 등 깊은 상처에 사용된 기존의 드레싱제를 제거 시, 젤 형태이지만 대부분 원래의 드레싱제
모양을 그대로 유지하므로 제거 시 용이하다(그림 7-41 B).
- 상처표면에 잘 밀착되어 상피화를 돕는다(그림 7-42).

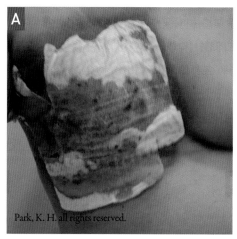
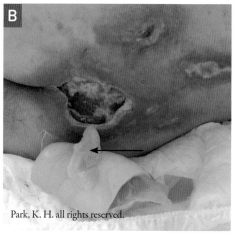

| 그림 7-41 | A. 하이드로화이버 드레싱제가 암상처의 많은 삼출물을 수직으로 흡수하여 상처주위피부로 퍼지지 않은 모습 |
| | B. 상처에 패킹되었던 하이드로화이버 드레싱제(◀━━)가 이차 폼 드레싱제와 함께 제거된 모습 |

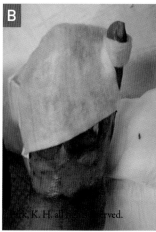
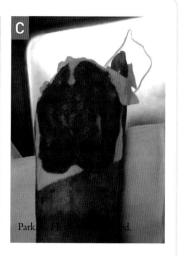

그림 7-42	A. 육아조직이 잘 형성된 동맥성 궤양
	B. 상피화를 증진하기 위해 하이드로화이버 드레싱제를 적용한 모습
	C. 삼출물을 흡수한 하이드로화이버 드레싱제 모습

적응증

- 삼출물이 많은 상처
- 공동과 같이 패킹이 필요한 상처
- 상처주위피부에 짓무름이 우려되는 상처
- 깨끗한 상처에 습윤 드레싱이 필요한 경우(예: 육아조직이 잘 차고 있는 경우)
- 화상, 감염상처, 암상처

사용법 및 주의점

- 상처 크기보다 2~3cm 크게 부착하여야 짓무름을 줄일 수 있다(그림 7-43 A).
- 1~3일까지 적용할 수 있다.
- 고정을 위한 이차 드레싱이 필요하다.
- 건조하거나 삼출물이 적은 상처에는 금기이다.
- 상처 위에 덮는 시트형이나 채워 넣을 수 있는 로프형이 있어 패킹하기에 쉬우며, 깊은 상처에 사용 시 느슨하게 패킹한다(그림 7-43 B, C).
- 시트형은 잘라서 사용할 수 있으나 너무 작거나 가늘게 잘라 적용해서는 안 된다(그림 7-43 C).

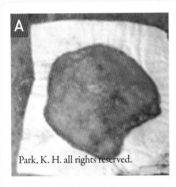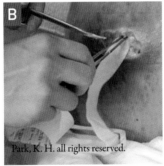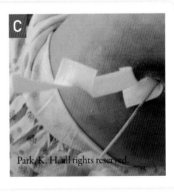

그림 7-43	하이드로화이버 드레싱제를 적용한 예 A. 상처 위에 덮은 모습 B. 상처 내에 채워 넣는 모습 C. 시트형을 로프형으로 잘라 적용하는 모습

Point

· 공동 내에 드레싱제를 너무 작거나 가늘게 잘라 적용한 경우, 드레싱제가 찢어져 공동 안에 잔여물이 남거나 드레싱제를 잃어버릴 수 있으므로 주의한다. 따라서 하이드로화이버 드레싱제를 입구가 좁은 상처에 패킹 시 찢어지지 않도록 하며, 드레싱의 끝(tail) 부분을 상처 입구에 걸쳐 놓아 공동 안에서 잃어버리지 않도록 한다.

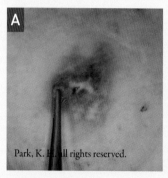
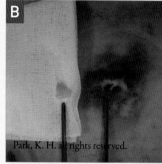
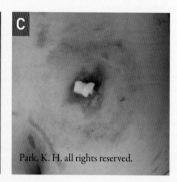

A. 감염이 없는데도 오랫동안 치료되지 않던 둔부 욕창에서 하이드로화이버 드레싱제의 작은 조각을 빼내고 있음
B. 완전히 제거한 모습
C. 하이드로화이버 드레싱제를 상처입구에 걸쳐놓은 모습

드레싱제

제품	제조사 또는 판매자
Aquacel	ConvaTec
Durafiber	Smith & Nephew

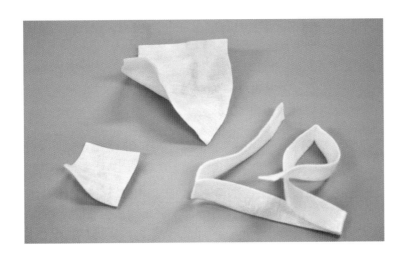

그림 7-44 하이드로화이버 드레싱제

6) 폼 드레싱제(Foam dressing)

필름 드레싱제와 같이 폴리우레탄으로 만들어졌으나 3차원 구조를 가지고 있으며 폴리우레탄 폼의 미세한 구멍들이 습도를 유지하고 많은 양의 삼출물을 흡수한다.

특징

- 세 개의 층 구조로 되어 있는데, 가장 바깥의 보호층은 폴리우레탄 필름으로 되어 있어 외부로부터 세균, 수분 및 이물질의 침투를 막는 방어막 기능을 한다.
- 가운데의 흡수층도 역시 폴리우레탄 폼으로, 삼출물을 흡수하고 보유하며 상처면을 보온하는 효과가 있다.
- 접촉층은 초박막 폴리우레탄으로 다양한 성장인자를 선택적으로 흡수하고 상처면에 접착성이거나 비접착성이다(그림 7-45).

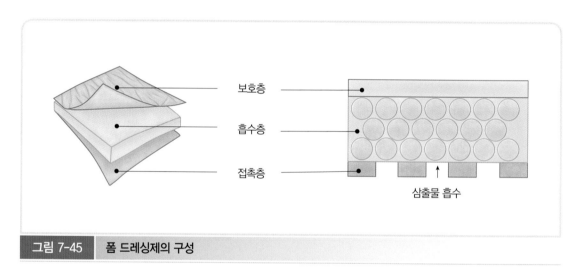

| 그림 7-45 | 폼 드레싱제의 구성 |

- 폼의 짜임새 정도에 따라 삼출물 흡수 정도와 투습도가 다양한데, 촘촘한 짜임새의 폼(그림 7-46 D)이 느슨한 짜임새의 폼(그림 7-46 A)보다 일반적으로 투습도가 낮다(그림 7-46).

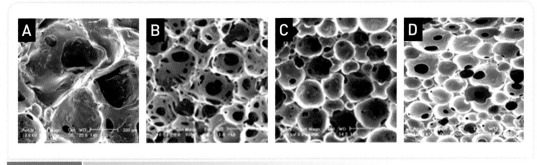

| 그림 7-46 | 현미경으로 관찰한 다양한 짜임새의 폼 |

- 보통 4~7mm 두께의 폼 제품은 흡수 능력이 우수하여 중정도나 다량의 삼출물이 있는 상처에 적용하고 1~2mm의 얇은 두께의 폼 제품은 부분층 피부손상이나 상피화되는 상처 등에 다양하게 적용할 수 있으며, 잔여물이 남지 않는다(그림 7-47).

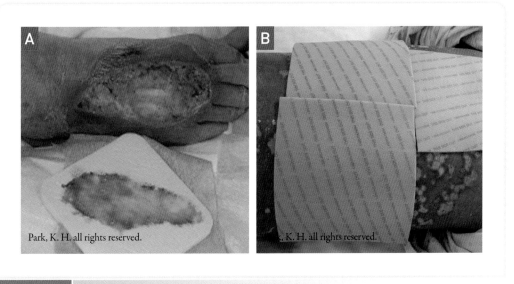

	폼 드레싱제를 적용한 예
그림 7-47	A. 삼출물이 많은 당뇨병성 상처에는 두꺼운 폼을 적용함
	B. 삼출물이 적은 이식편대숙주병(graft versus host disease) 상처에는 얇은 폼을 적용함

- 얇은 폼은 삼출물이 아주 적거나 피부를 보호하는 데 이용된다.
- 보통 두께의 비접착성 폼 드레싱제는 정맥성 궤양에 적용하여 약간의 압박 효과도 제공하면서 삼출물을 흡수한다.
- 발뒤꿈치 등 특수 부위를 위한 다양한 모양의 폼 드레싱제가 있다(그림 7-54 E 참조).
- 폼 드레싱제도 알지네이트 드레싱제나 하이드로화이버 드레싱제 등과 함께 사용하여 삼출물 흡수력을 증가시킬 수 있다(그림 7-48, 7-41 B 참조).
- 하이드로젤 드레싱제 적용 후 이차 드레싱제로 흔히 사용된다(그림 7-49).

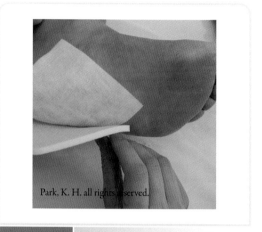

그림 7-48 삼출물이 많아 하이드로화이버 드레싱제 적용 후 폼을 적용하는 모습

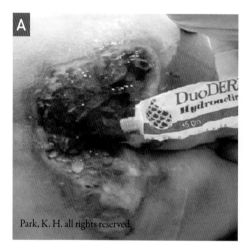

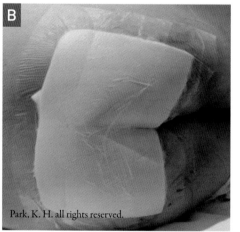

그림 7-49 A. 괴사조직에 일차 드레싱으로 하이드로젤 드레싱제를 적용하는 모습
B. 이차 드레싱으로 폼 드레싱제를 덮은 모습

- 상처접촉층이 부드러운 실리콘젤(soft silicone gel)로 처리한 폼 드레싱제는 실리콘젤 재질의 비알레르기성 및 비접착성의 특징으로 인해 드레싱 제거 시 피부손상과 통증이 거의 없다(그림 7-50).

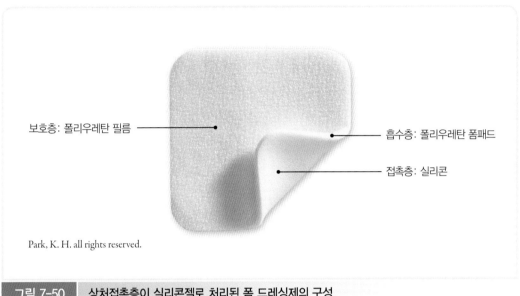

보호층: 폴리우레탄 필름

흡수층: 폴리우레탄 폼패드

접촉층: 실리콘

그림 7-50 **상처접촉층이 실리콘젤로 처리된 폼 드레싱제의 구성**

- 실리콘젤 폼 드레싱제는 실리콘젤 자체의 부착력(adhesion)으로 불규칙한 상처면에 잘 부착되어 상피화를 촉진한다(그림 7-51).

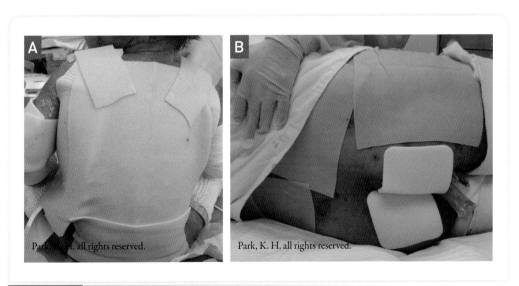

그림 7-51 **광범위하게 표피가 박리된 표면에 실리콘젤 폼 드레싱제가 밀착되어 옷을 입은 것과 같은 모습**
A. 스티븐스존슨증후군(Setvens-Johnson syndrome)   B. 독성표피괴사용해(toxic epidermal necrolysis)

- 굴곡진 피부가 서로 접촉하여 습기로 인한 피부손상이 예상되거나 발생한 경우에 비자극 접착성 제품인 실리콘젤 폼 드레싱제를 부착하면 피부가 접촉되어 악화되는 것을 막을 수 있다(그림 7-52).

적응증

- 중정도나 다량의 삼출물이 있는 상처
- 육아조직이 형성되는 상처
- 욕창, 하지궤양, 외상
- 광범위 부분층 피부손상 및 전층 피부손상
- 이차 드레싱제로 사용
- 튜브 주위에 사용(그림 7-53)

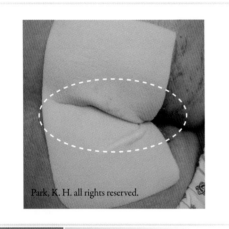

| 그림 7-52 | 실리콘젤 상처접촉층이 접혀진 상처표면에 잘 밀착된 모습 |

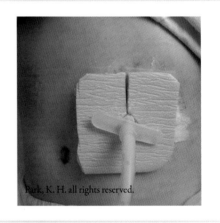

| 그림 7-53 | 위액의 누수로 위루관(gastrostomy tube) 주위피부가 손상되어 드레싱제를 적용한 모습 |

사용법 및 주의점

- 삼출물이 적은 상처나 동로 등 배액이 필요한 상처에는 부적합하다.
- 상처가 주변 피부와 수평이 아니라면, 패킹용 폼 드레싱제를 사용하거나(그림 7-57 C 참조), 판(wafer)형 폼 드레싱제 적용 전 상처 안의 패인 부분에 습윤 드레싱제를 채워 상처 안에 공동이 생기지 않도록 한다(그림 7-41 B, 7-49 B 참조).
- 드레싱제의 교환은 삼출물을 흡수해 상처면을 촉촉하게 유지할 수 있는 간격으로 실시하며, 큰 괴사조직이나 삼출물이 많은 상처의 경우, 삼출물이 새어 나올 수 있어 더 잦은 드레싱제 교환이 필요하다.
- 비접착성 폼 드레싱제를 필름 드레싱제(그림 7-49 B 참조)로 덮는 것은 드레싱제를 고정하거나 건조한 괴사조직을 부드럽게 녹이기 위한 것이지만 폼 드레싱제 고유의 수분 투과성을 낮출 수 있다.
- 비접착성 폼 드레싱제의 고정을 위해 별도의 제품이 필요하다(그림 7-54).

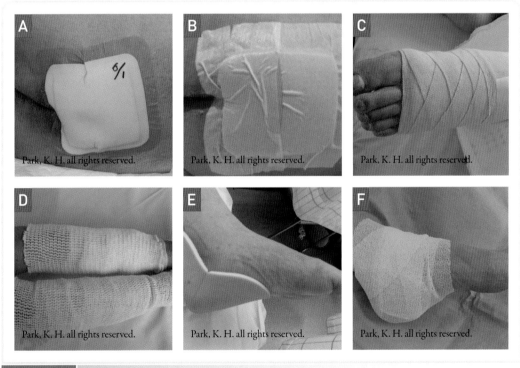

그림 7-54	A. 접착성 폼 드레싱제
	E. 발뒤꿈치용 비접착성 폼 드레싱제
	B, C, D, F. 비접착성 폼 드레싱제를 별도로 고정한 모습(B. 면 반창고 C. 붕대 D. 탄력망붕대 F. 자가접착붕대)

- 드레싱제 표면에 삼출물이 보일 정도라면 드레싱제가 포화되어 삼출물이 새기 시작하므로 그 이전에 교환한다(그림 7-55).
- 드레싱제가 삼출물을 충분히 흡수해내지 못하거나 드레싱제의 교환 주기가 감소한 경우에는 폼 드레싱제의 적용을 멈춘다.
- 연약하거나 손상된 피부에 접착성 폼 드레싱제를 사용 시 피부손상을 악화시킬 수 있으므로 주의한다(그림 7-56).

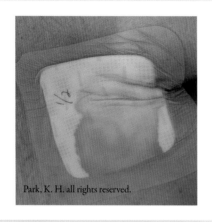

| 그림 7-55 | 폼 드레싱제 표면에서 삼출물이 묻어나오기 전에 교환해야 함 |

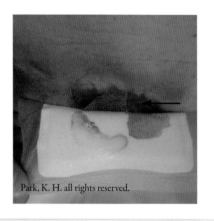

| 그림 7-56 | 개방되지 않은 상처에 접착성 폼을 적용하여 개방상처(←)가 된 모습 |

Point

건조하거나 소량의 삼출물이 있는 상처에 드레싱제가 달라붙어 있는 경우는 드레싱제를 제거하기 위해 생리식염수 등으로 적신 후 제거해야 상처가 손상되지 않는다.

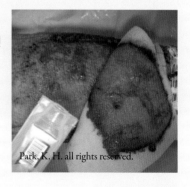

7

Point

• 폴리우레탄 폼드레싱제를 기본으로 다른 성분을 결합하여 폼드레싱제의 기능을 강화한 제품들이 많이 출시되고 있다.

실리콘과 폼, 필름 등이 결합된 드레싱제

• 드레싱제의 구성은 상처 접촉층이 실리콘으로 되어 있어 피부에 부드럽게 밀착되고 드레싱제 제거 시 피부손상이 적어 피부가 약한 경우에 적용하기 좋다. 또한 실리콘 성분 때문에 드레싱제의 고정을 위해 이차적으로 테이프 등을 사용하지 않아도 된다.

• Mepilex Border는 상처 접촉층인 실리콘, 폼, 부직포, 고흡수성수지(superabsorbent polymer)인 폴리아크릴레이트 섬유(polyacrylate fibers), 필름 등 다섯 개의 층으로 이루어져 있으며, Biatain Silicone은 실리콘, 폼, 부직포, 필름 등 네 개의 층으로 구성되어 있다.

• 여러 개 층으로 구성된 드레싱제의 특성 때문에 전단력과 마찰력이 발생 시 피부가 미끄러지는 것을 어느 정도 줄여주어 욕창 예방에 도움을 준다.

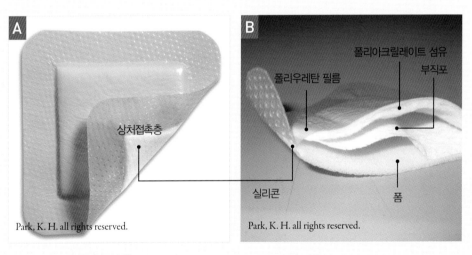

A. B. Mepilex border 구성

드레싱제

제품	제조사 또는 판매자
Allevyn Non−adhesive, Allevyn Gentle Border, Allevyn Adhesive, Allevyn Compression, Allevyn Thin	Smith & Nephew
Biatain, Biatain adhesive, Biatain Soft Hold, Biatain Silicone, Biatain Ibu	Coloplast
Easyfoam Non−adhesive, Easyfoam Silicone Border	CGBIO
Medifoam N, Medifoam AD	Mundipharma
Meditouch, Meditouch border	Ildong
Mepilex, Mepilex Lite, Mepilex Border, Mepilex Transfer	Mölnlycke Health Care
PolyMem	Ferris Mfg
Tegaderm Foam	3M Health Care

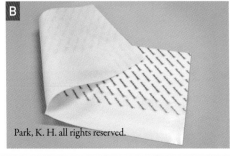

그림 7-57 **폼 드레싱제**
A, B. 덮는 드레싱제   C. 채우는 드레싱제

7) 항균 드레싱제(Antimicrobial dressing)

상처치유에 필요한 생리적 습윤환경을 유지하면서 상처표면에 항균제를 지속적으로 방출함으로써 항균 효과가 오래 지속된다.

(1) 은(silver)함유 드레싱제

특징

- 은(Ag^+)은 가장 오래된 항균, 항박테리아 물질로, 상처로 직접 방출된 은이 세균의 수를 감소시킨다.
- 거즈, 폼, 폴리에틸렌, 하이드로화이버, 칼슘알지네이트, 하이드로젤 등 다양한 제제에 은을 함유시킨 반폐쇄 항균 드레싱제이다(그림 7-58).
- 은이 입혀진 드레싱제로 감염된 상처에 사용 시 감염을 조절할 수 있어 상처의 악취를 감소할 수 있으며 MRSA(methicillin resistant *Staphylococcus aureus*), VRE(vancomycin resistant *Enterococcus*), *Pseudomonas*에 효과가 있다.

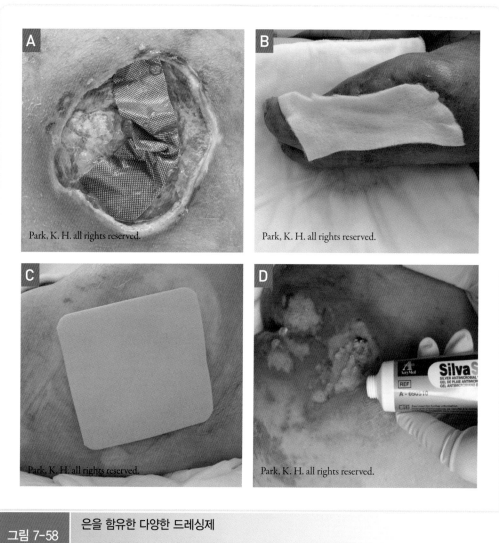

그림 7-58 은을 함유한 다양한 드레싱제

A. 폴리에틸렌   B. 하이드로화이버   C. 폼   D. 하이드로젤

- Acticoat는 세 개 층으로 구성되어, 양면은 은이 코팅된 고밀도의 폴리에틸렌 메쉬(silver coated polyethylene mesh)와 가운데는 삼출물의 저장역할을 하는 레이온 폴리에스테르(rayon polyester) 이다(그림 7-59).

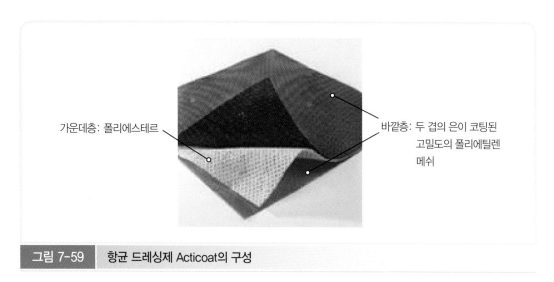

가운데층: 폴리에스테르

바깥층: 두 겹의 은이 코팅된
고밀도의 폴리에틸렌
메쉬

그림 7-59 　항균 드레싱제 Acticoat의 구성

- Aquacel Ag는 수화된 화이버가 Ag$^+$ 이온을 방출하고 음전하를 띤 세균과 결합한다. 결합 시 세균의 세포막과 핵을 손상시켜 세균을 제거한다(그림 7-60).

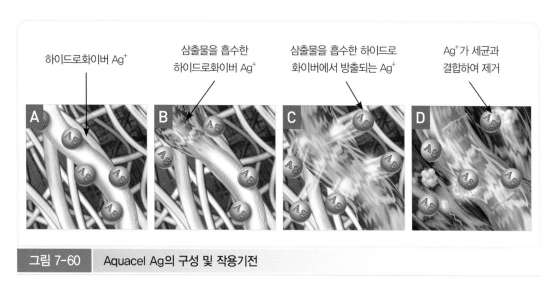

하이드로화이버 Ag$^+$

삼출물을 흡수한
하이드로화이버 Ag$^+$

삼출물을 흡수한 하이드로
화이버에서 방출되는 Ag$^+$

Ag$^+$가 세균과
결합하여 제거

A　　　B　　　C　　　D

그림 7-60 　Aquacel Ag의 구성 및 작용기전

적응증

- 세균이 중증집락화된 상처나 감염된 상처
- 정맥성궤양, 당뇨성발궤양, 욕창 등의 각종 만성상처
- 화상, 피부공여 부위 등의 급성상처

사용법과 주의점

- 은을 함유한 제제의 특성에 따라 공동을 채우거나 덮는 드레싱제로 적용할 수 있으며, 고정을 위해 이차 드레싱제가 필요할 수도 있고, 상처의 특성에 따라 1~7일마다 교환한다.
- 알레르기가 있는 경우나 오일 기제(oil-based) 제품과 함께 사용하면 안 된다.
- Acticoat 제품 사용 시에는 멸균증류수에 적셔 사용해야 은 침전물이 발생하지 않는다. 또한 상처 크기에 맞게 적용하고 감청색 면이 상처표면에 닿도록 적용하는 것이 좋다.

Point

- 은에 저항성이 있는 균이 존재하고 저항성을 유발하는 잠재적인 기전도 제시되고 있으므로, 은함유 드레싱제의 사용은 항생제 사용과 비슷하게 2~4주 내로 제한적으로 사용한다.

드레싱제

제품	제조사 또는 판매자
Acticoat , Acticoat 7, Acticoat absorbent, Allevyn Ag	Smith & Nephew
Actisorb, Silver 220, Silvercel	Systagenix Wound Management
Aquacel Ag	ConvaTec
Arglaes, SilvaSorb Gel	Medline Industries
Askina carbosorb	B.Braun
Atrauman Ag	HARTMANN
Biatain Ag, Biatain Aiginate Ag	Coloplast
Medifoam Silver	Mundipharma
Mepilex Ag	Mölnlycke Health Care
PolyMem Ag	Ferris Mgf

그림 7-61 은함유 항균 드레싱제

(2) 요오드(iodine)함유 드레싱제

특징

- 폼, 하이드로젤, 하이드로화이버, 카데소머 (cadexomer) 등 다양한 제제에 요오드(iodine) 또는 포비돈 요오드(povidone-iodine)가 함유 된 항균 드레싱제이다.

- 3% 포비돈 요오드를 폼 드레싱제에 포함한 베타폼(BETA foam)(그림 7-62)과 하이드로젤 드레싱제에 넣은 레피젤(RepiGel)이 시판되 고 있다.

- 저농도의 요오드(0.9% elemental iodine)를 다당류고분자카데소머(polysaccharide polymer cadexomer)와 혼합한 카데소모 요오드 (cardexomer iodine) 연고는 상처의 삼출물을

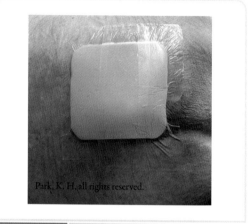

| 그림 7-62 | 요오드 함유 항균 드레싱제 |

흡수하고 자유 요오드를 저농도 상태로 계속 방출하여 상처의 세균수를 줄이는 데 효과가 있다.

- 분말, 연고 형태의 드레싱제는 비접착성 드레싱제이므로 이차 드레싱이 필요하다.

적응증

- 세균이 중증집락된 상처나 감염된 상처
- 정맥성궤양, 당뇨성발궤양, 욕창 등의 각종 만성상처
- 화상, 피부공여 부위 등의 급성상처

사용법과 주의점

- 요오드에 과민한 대상자, 갑상선 항진·저하 대상자, 임산부, 수유부, 어린아이에게는 사용하지 않는다.

- 카데소모 연고는 삼출물은 폴리머 구조 안으로 흡수되어 서서히 젤화되고 0.9% 요오드가 상처 안으로 72시간 동안 서서히 배출되면서 갈색 연고 형태의 드레싱제가 흰색으로 변하면 교환한다 (그림 7-63).

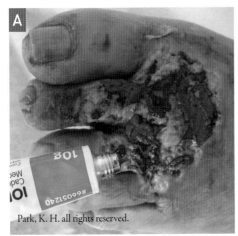
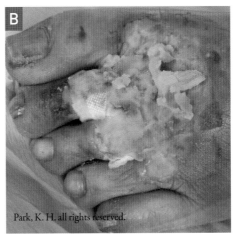

| 그림 7-63 | A. 요오드함유 드레싱제를 적용하는 모습 |
| | B. 적용 후 흰색으로 변한 요오드함유 드레싱제 |

드레싱제

제품	제조사 또는 판매자
BETA foam N, BETA foam F, BETA foam T	Mundipharma
Iodosorb	Smith & Nephew
RepiGel	Mundipharma

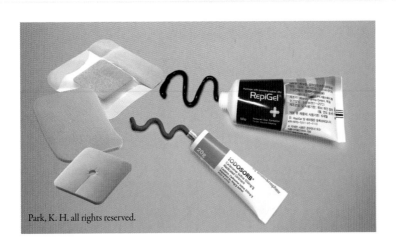

| 그림 7-64 | 요오드함유 항균 드레싱제 |

8) 소수성 드레싱제(Hydrophobic dressing)

두 가지 소수성 분자들(hydrophobic particles)이 각각의 분자들을 둘러싸고 있는 물 분자의 도움으로 서로 결합하게 되는 소수성 상호작용(hydrophobic interaction)을 이용한 드레싱제이다. 세균이나 곰팡이와 같은 미생물은 소수성을 띠는 성질이 있기 때문에, 역시 소수성인 드레싱제와 접촉 시 드레싱제의 표면에 강력히 결합하게 된다. 그 결과 드레싱제를 제거하면 드레싱제에 부착된 미생물이 함께 상처로부터 제거된다는 원리이다(그림 7-65).

특징

- 드레싱제에 코팅되어 있는 DACC(dialchylcabamoyl chloride : fatty acid derivative)가 소수성 특성을 나타낸다(그림 7-65 A).
- 소수성 분자들끼리 당기는 힘은 없지만 이들을 둘러싸고 있는 물(상처의 삼출물)과의 상호작용에 의해 미생물(a)과 소수성 드레싱제(b)가 강제적으로 결합한다(그림 7-65 B).

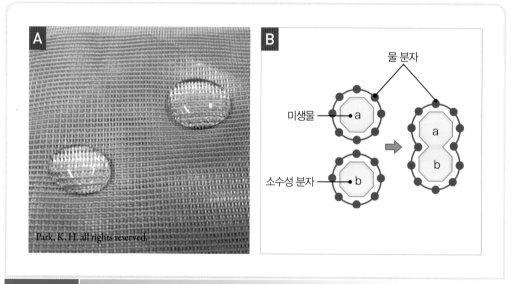

| 그림 7-65 | A. 물을 밀어내는 특성을 가진 소수성 드레싱제 |
| | B. 미생물이 소수성 드레싱제와 결합하는 모습 |

- 세포표면에서 소수성을 나타내는 미생물과 결합하고 상처치유를 증진하는 비소수성 미생물은 남겨 놓는다(그림 7-66).
- 면(cotton)으로 만들어진 리본거즈를 제외하고는 셀룰로오스 아세테이트(cellulose acetate)로 만들어졌다(그림 7-69 참조).
- 세균의 내성이나 독성 및 알레르기 반응의 위험이 없다.

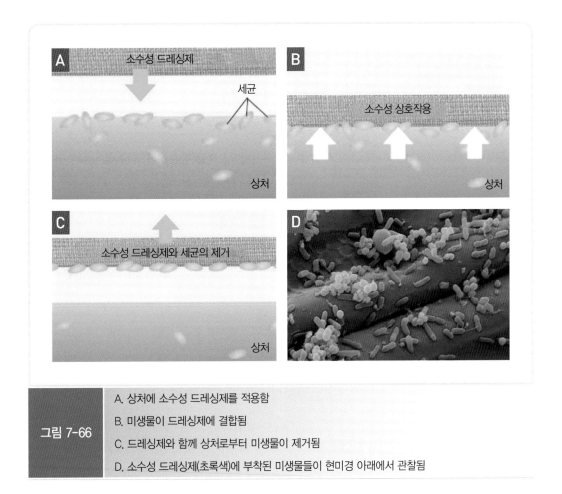

그림 7-66	A. 상처에 소수성 드레싱제를 적용함
	B. 미생물이 드레싱제에 결합됨
	C. 드레싱제와 함께 상처로부터 미생물이 제거됨
	D. 소수성 드레싱제(초록색)에 부착된 미생물들이 현미경 아래에서 관찰됨

적응증

- 병인에 관계없이 삼출물이 많은 상처, 세균집락상처, 감염상처 등(그림 7-67)
- 진균 감염

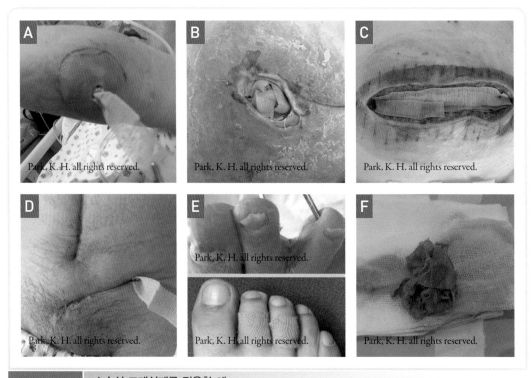

그림 7-67	소수성 드레싱제를 적용한 예
	A. 농양 B. 만성 욕창 C. 급성 수술상처 D. 만성 수술상처 E. 진균 감염
	F. 소수성 드레싱제를 상처로부터 제거한 모습

사용법 및 주의점

- 감염된 상처는 매일 교환을 원칙으로 하고, 삼출물의 양과 감염의 정도에 따라 1~2일마다 다양하게 적용한다.
- 삼출물이 어느 정도 있는 축축한 환경에서 미생물과 소수성 드레싱제의 적절한 결합능력이 나타난다.
- 소수성 흡수패드는 녹색면이 소수성 특징을 가지므로 상처에 접촉되도록 한다(그림 7-68).

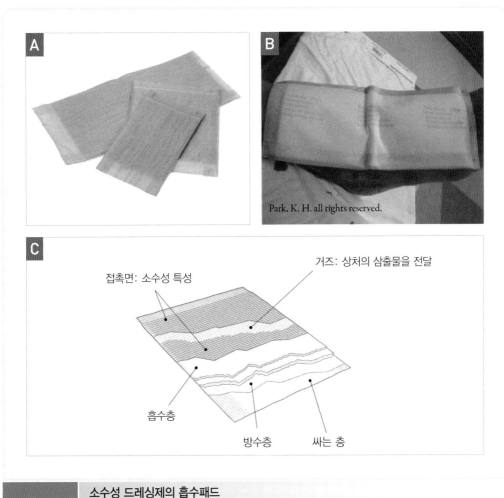

접촉면: 소수성 특성

거즈: 상처의 삼출물을 전달

흡수층

방수층   싸는 층

그림 7-68	**소수성 드레싱제의 흡수패드** A. 상처접촉면 B. 접촉성 피부염에 적용한 모습 C. 구성

드레싱제

제품	제조사 또는 판매자
Sorbact Absorbent	
Sorbact Compress	
Sorbact F	Abigo
Sorbact Ribbon gauze (Tamponade)	
Sorbact Round swab	

그림 7-69 소수성 드레싱제

9) 실리콘 드레싱제(Silicone dressing)

다른 제제나 드레싱제가 직접 상처에 닿는 것을 피하기 위해 개방상처의 상처기저부에 얹어 놓는 그물망 모양의 비접착성 단일층 드레싱제로 상처접착면(contact layer) 드레싱제로 사용된다.

특징

- 괴사조직이 없는 깨끗한 상처에서 일차 드레싱제로 이용되며, 비접착성 단일층을 통과하여 상처 삼출물이 이차 드레싱제에 흡수될 수 있도록 한다.
- 접착면의 작은 구멍은 적절한 통풍을 유지하며 혈액이나 삼출물의 이동을 가능하게 하여 상처와 상처주위피부가 짓무르지 않도록 한다(그림 7-70).

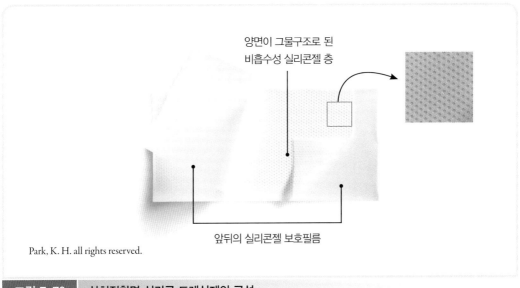

양면이 그물구조로 된
비흡수성 실리콘젤 층

앞뒤의 실리콘젤 보호필름

그림 7-70 상처접착면 실리콘 드레싱제의 구성

- 일반적으로 상처접착면 실리콘 드레싱제는 육아조직이 형성된 상처표면과 상처가장자리까지 충분히 적용하면(그림 7-71 B) 새로운 육아조직과 상피세포에 가해지는 손상을 최소화할 뿐 아니라 접촉면을 따라 상처가장자리로부터 상피화를 촉진할 수 있다(그림 7-71 C).

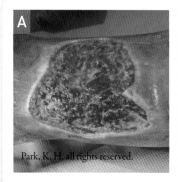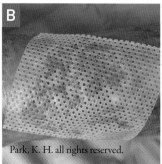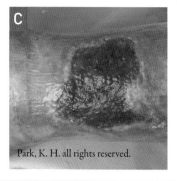

그림 7-71	A. 육아조직의 형성에 비해 상피화가 잘 이루어지지 않던 상처(치료 전)
	B. 상처접착면 실리콘 드레싱제를 적용함
	C. 재상피화되어 상처 크기가 감소한 모습(치료 2주일 후)

- 폴리아마이드(plyamide) 그물구조에 실리콘젤이 양면으로 입혀진 구조로, 이차 드레싱제가 상처에 달라붙는 것을 방지해주고 제품이 부착된 상태에서 상처의 상태를 눈으로 식별하는 것이 가능하다(그림 7-72).

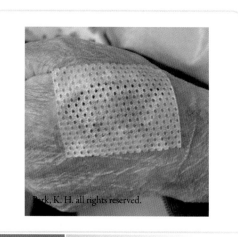

| 그림 7-72 | 실리콘 드레싱제 아래로 상처 관찰이 용이함 |

● 심하게 손상되거나 약한 피부에 다른 제제나 드레싱제가 직접 상처에 닿는 것을 피하기 위해 개방 상처에서 상처기저부 위에 얹어 놓는 비접착성 드레싱제이다(그림 7-73).

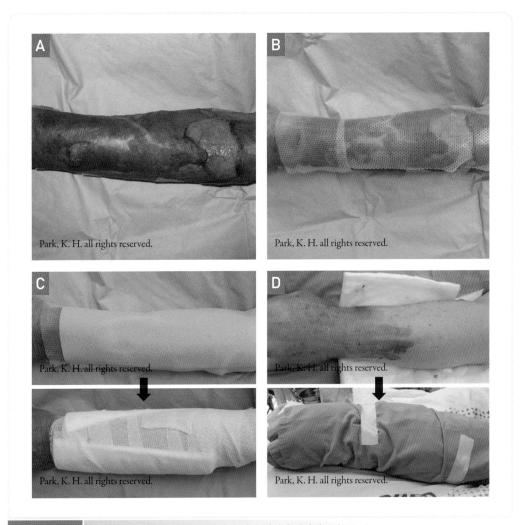

그림 7-73	A. 항응고제 투여 대상자에게서 표피와 진피가 박탈된 모습
	B. 상처접착면 실리콘 드레싱제 적용
	C. 실리콘젤 폼 드레싱제를 적용 후 자가접착붕대로 고정
	D. 실리콘젤 폼, 흡수성 패드 드레싱제 적용 후 소독방포로 고정

적응증

- 조심하여 부드럽게 다루어야 하는 광범위한 상처
  (찰과상, 화상, 방사선에 의한 손상 부위, 성형수술 부위, 피부이식 부위와 공여 부위 등)

사용법 및 주의점

- 드레싱제 부착 시 한쪽 면의 실리콘젤 보호 필름을 먼저 제거하고 다른 쪽의 보호필름은 그대로 둔 채 실리콘젤 층을 상처에 부착한 후 나머지 보호필름을 제거한다(그림 7-74).

- 이차 드레싱제가 필요하며 상처접착면 실리콘 드레싱제는 보통 일주일에 한 번 교환하며, 상처의 특성에 따라 조절한다.

- 상당히 연약한 상처에 실리콘 드레싱제를 사용하고 이차 드레싱제로 덮은 경우, 이차 드레싱제를 자주 교환해야 할 때가 있다. 이때는 감염의 위험이 없는 한 실리콘 드레싱제는 상처에 그대로 둔 채 이차 드레싱제만 교환하면 상처기저부가 손상되는 것을 보호할 수 있다.

- 3도 화상과 감염된 상처에 적용해서는 안 되며 건조한 상처, 점도가 높은 삼출물이 있는 상처, 동로나 주위조직에 잠식이 있는 상처에도 사용이 권장되지 않는다.

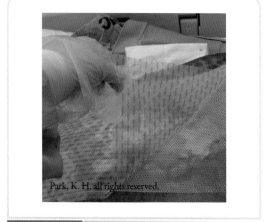

그림 7-74   상처 위에 실리콘 드레싱제를 적용하는 모습

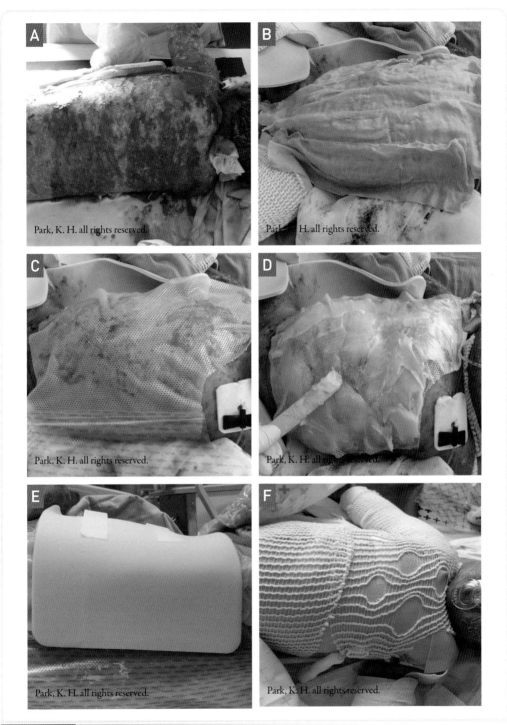

스티븐스존슨증후군으로 표피박리된 예

그림 7-75

A. 이전의 거즈 드레싱제로 인해 출혈되는 상처   B. 소독제를 묻힌 거즈를 상처 위에 얹어 살며시 눌렀다가 떼어냄   C. 상처접촉면 드레싱제의 적용   D. 치료용 연고를 접착면 드레싱제 위에 바르기
E. 폼 드레싱제로 이차드레싱함   F. 소수성 드레싱제를 상처로부터 제거한 모습

Point

• 접착면 드레싱제의 양면은 실리콘젤 층으로 접착성이 있으므로 넓은 상처 부위에 접착면 드레싱제를 적용하고 그 위에 이차 드레싱제를 덮으면, 대상자나 이차 드레싱제의 움직임에 의해 드레싱제가 쉽게 구겨지고 이동되니 주의한다. 최근에는 이러한 단점을 보완하기 위해 한쪽 면에만 실리콘젤 층이 있는 제품이 시판되고 있다.

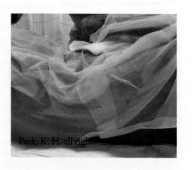

접착면 드레싱제가 구겨지고 이동된 모습

드레싱제

제품	제조사 또는 판매자
Atrauman Ag, Hydrotul	HARTMANN
Mepitel, Mepitel one	Mölnlycke Health Care
ProGuide	Smith & Nephew

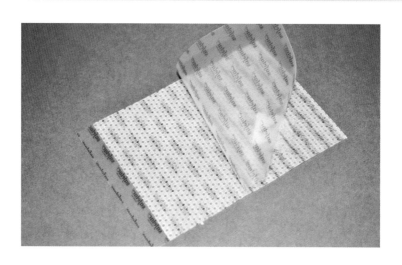

그림 7-76 상처접착면 실리콘 드레싱제

10) 거즈 드레싱제(Gauze dressings)

(1) 습식 거즈 드레싱제(wet-to-wet gauze dressing)

- 거즈를 이용한 지속적인 습식 드레싱 방법으로, 생리식염수나 준비된 소독액 등에 적신 거즈를 상처 부위에 대어, 지속적으로 촉촉한 환경을 유지하는 것이다.

적응증

- 괴사조직이 적은 상처

사용법 및 주의점

- 상처기저부를 습윤하게 유지하고 재습윤이 유지되도록 지속적으로 습윤 거즈를 교환하며, 잦은 관찰이 필요하다.
- 드레싱 교환은 보통 8시간 간격으로 하되, 교환 시 건조 여부에 따라 교환 주기를 결정한다.
- 드레싱제는 습윤해야 하며 거즈를 처음 적용했을 때 식염수나 소독액 등이 뚝뚝 떨어지지 않아야 한다(그림 7-77 A).
- 습윤 거즈가 상처가장자리 안에 위치하도록 하고 상처주위피부에 닿지 않도록 한다.
- 거즈는 접혀진 패드 형태로 적용하면 상처면에 압력으로 작용할 수 있으므로 보풀 형태로 만들어 적용한다(그림 7-77 B).
- 습윤 거즈를 잠식 혹은 동로 부위에 느슨하게 채워 넣되, 상처 안 모든 조직에 습윤 거즈가 닿도록 한다. 이때 거즈가 피부표면보다 위로 올라온 경우 상처기저부에 압력으로 작용할 수 있으므로 너무 많은 거즈를 채워 넣지 않는다(그림 7-77 C).
- 동로 등 깊은 상처에는 롤 형태의 거즈를 사용하면 거즈가 공동 내에서 분실되는 것을 예방할 수 있다.

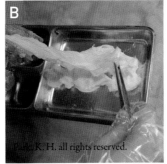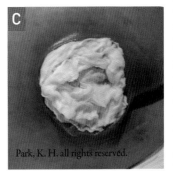

그림 7-77 습식 거즈 드레싱제의 적용방법

- 짓무름이 발생하지 않도록 습윤 거즈를 상처주위피부에 놓지 않도록 하거나 상처주위에 바세린을 도포하거나 하이드로콜로이드 드레싱제 등을 부착하면 이를 방지할 수 있다.
- 건조한 드레싱제나 습윤 드레싱제로 덮어, 내부의 습윤 드레싱제를 보호한다.

(2) 습건식 거즈 드레싱제(wet-to-dry gauze dressing)

- 거즈에 생리식염수나 준비된 소독액 등을 적셔 습윤한 거즈를 개방된 상처에 놓고 거즈가 건조된 후 떼어낸다.

특징

- 마른 거즈의 틈에 괴사조직이 달라붙게 되어 거즈를 상처로부터 당기면 괴사조직이 제거되지만(그림 7-78), 정상조직도 함께 손상되는 비선택적인(nonselective) 괴사조직 방법이다.
- 조직이 제거되면서 대상자에게 통증을 유발하고, 생리식염수나 준비된 소독액 등이 건조되면서 상처조직도 건조되어 치유를 저해하는 단점이 있다.
- 드레싱하기가 다소 번거롭고 시간이 많이 소요된다.

그림 7-78 | 마른 거즈에 달라붙은 삼출물과 괴사조직

적응증

- 괴사조직이 많은 상처

사용법 및 주의점

- 괴사조직 제거가 목적이면 괴사조직이 모두 제거될 때까지 매 6~8시간마다 반복되어야 효과적이다.
- 상처기저부가 청결하고 육아조직으로 되었을 때는 습건식 거즈 드레싱제에서 지속적 습윤 거즈 드레싱으로 교환해야 한다.
- 습윤 거즈를 적용하였다가 거즈를 건조시키는 것을 제외하고 습식 거즈 드레싱제 사용법과 주의점이 유사하다(습식 거즈 드레싱제 참조).

11) 복합 드레싱제(Composite dressing)

아직 합의된 정의는 아직 없지만, 복합 드레싱제란 필름, 하이드로콜로이드, 하이드로화이버, 알지네이트, 하이드로젤, 폼, 거즈 등 기타 여러 성분 중 두 개 이상의 드레싱제 성분을 물리적으로 결합하여 여러 층으로 만든 드레싱제이다. 최근에는 각 드레싱제 성분의 고유한 기능은 유지하면서 단점을 보완하기 위해 다른 드레싱제의 성분을 결합하여, 기능적으로 보다 우수하고 사용에 편리한 복합 드레싱제를 활발히 출시하고 있다(그림 7-79).

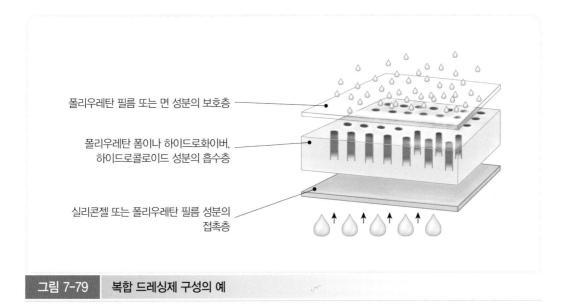

폴리우레탄 필름 또는 면 성분의 보호층

폴리우레탄 폼이나 하이드로화이버, 하이드로콜로이드 성분의 흡수층

실리콘젤 또는 폴리우레탄 필름 성분의 접촉층

그림 7-79 **복합 드레싱제 구성의 예**

특징

- 보통 상처 접촉층은 필름, 폼, 알지네이트, 하이드로콜로이드나 하이드로젤과 같은 종류이고 이를 고정하기 위해 반접착성이거나 비접착성의 테이프로 구성되어 있다.
- 상처 접촉층 성분에 따라 필름, 폼, 알지네이트, 하이드로화이버, 항균 드레싱제 등으로 분류하기도 한다.
- 보통 반폐쇄 드레싱제이고, 일차 및 이차 드레싱제로 사용된다.
- 해부학적 구조에 따라 대부분 다양한 형태의 드레싱제가 개발되어 있다.

적응증

- 소량이나 중정도 삼출물이 있는 상처

종류

(1) 하이드로화이버와 폼이 결합된 드레싱제

예 Aquacel Foam, Aquacel Foam Adhesive(그림 7-80, 7-81)

- 삼출물이 화이드로화이버와 접촉하였을 때 젤로 전환되어 삼출물과 세균을 젤 속에 가두어 많은 삼출물과 세균 관리에 적합하다.
- 하이드로화이버의 뛰어난 삼출물 흡수로 상처주위피부의 짓무름을 예방할 수 있다.
- Aquacel Foam은 비접착성 제품이고, Aquacel Foam Adhesive는 접착성 제품으로 드레싱제의 가장자리 부분은 실리콘으로 되어 있어 피부에 접착하기 쉽고 제거 시에도 자극이 적다.

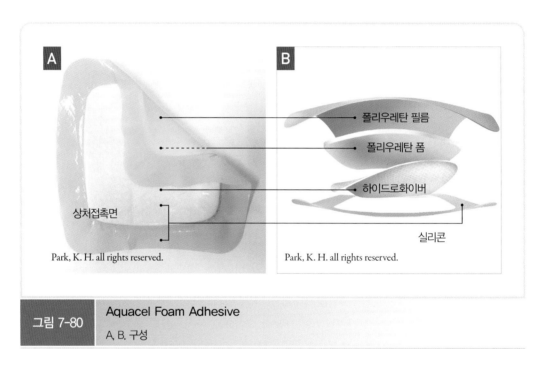

그림 7-80	Aquacel Foam Adhesive
	A, B. 구성

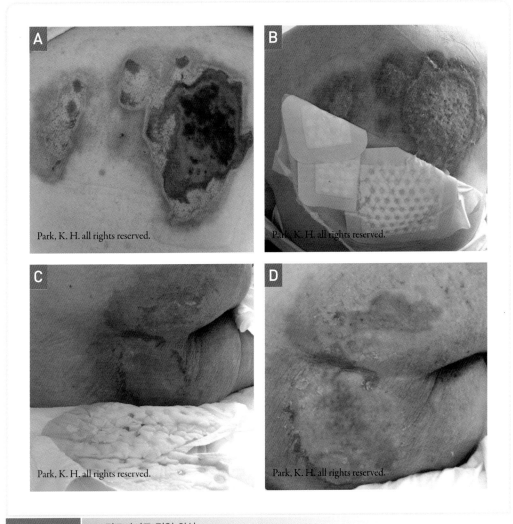

그림 7-81

A. 건조가피로 덮인 화상

B. 상처(A)에 Versiva(Auacel Foam의 이전 제품)를 적용 후 제거하는 모습

C. 욕창에 Versiva를 적용 후 제거하는 모습(치료 1일 후)

D. 욕창(C)이 재상피화되고 있음(치료 3일 후)

(2) 하이드로화이버와 하이드로콜로이드가 결합된 드레싱제

예 Aquacel Surgical(그림 7-82)

- 상처가 닿는 부위는 하이드로화이버를 여러 겹 스티치하여 삼출물 흡수가 우수하다.
- 상처주위피부가 닿는 부위는 두 겹의 하이드로콜로이드로 구성되어서 폐쇄(occlusive) 환경에 의해 빠른 상처치유를 유도한다.
- 방수가 가능하여 수술 후 청결상처에 적합하다.
- 하이드로화이버 제제인 Aquacel 대신 은이 함유된 Aquacel Ag 제품도 출시되어 감염이 우려되는 상처에 적용할 수 있으나 하이드로콜로이드 제제 때문에 밀폐환경이 조성될 수 있으므로 주의하여 사용한다.

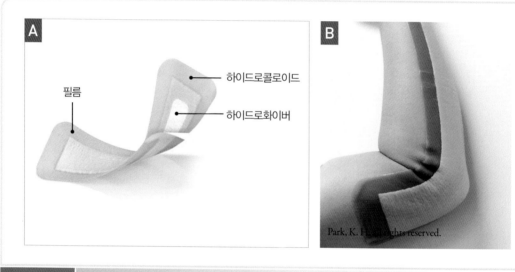

필름
하이드로콜로이드
하이드로화이버

그림 7-82	Aquacel Surgical
	A. 구성　　B. 수술상처에 적용한 모습

(3) 필름과 폼이 결합된 드레싱제

예 Post op Visible(그림 7-83)

- 얇은 필름과 벌집 모양의 폼으로 이루어진 유연한 드레싱제로 굴곡진 부위에 쉽고 안전하게 부착할 수 있다.
- 필름을 통해 상처의 일부분과 삼출물의 양상을 직접 관찰할 수 있어 수술상처에 사용하기 적합하다.
- 바깥층이 방수필름으로 되어 있고, 상처접촉층이 폼으로 되어 있어 삼출물을 흡수할 수 있지만 폼의 부피가 적어 삼출물이 많은 상처에는 적합하지 않다.

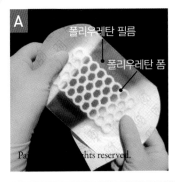
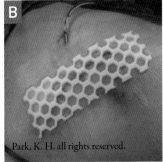
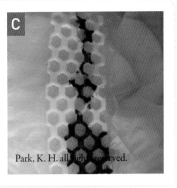

그림 7-83	Post op Visible
	A. 구성　　B. 수술상처에 적용한 모습　　C. 3일 후 드레싱제 제거 후 모습

(4) 다양한 소재가 결합된 드레싱제

예 Mepilex Border Post Op(그림 7-84)

- 최근에는 특정 드레싱제 성분 외에도 다양한 소재를 이용한 기능성 제품들이 출시되고 있다. 수술 후 다량의 삼출물과 방수기능을 강화한 Mepilex Border Post Op는 얇은 폴리우레탄 필름과 고흡수성 아크릴 섬유(super absorbent acrylic fiber), 부직포, 실리콘 등으로 구성된 드레싱제이다. 특히 고흡수성 아크릴 섬유는 Flexi-cut 패턴이 들어가 관절 부위 등 굴곡진 부위에 부착 시 제품의 탈락 없이 드레싱제가 안전하게 유지되도록 한다.

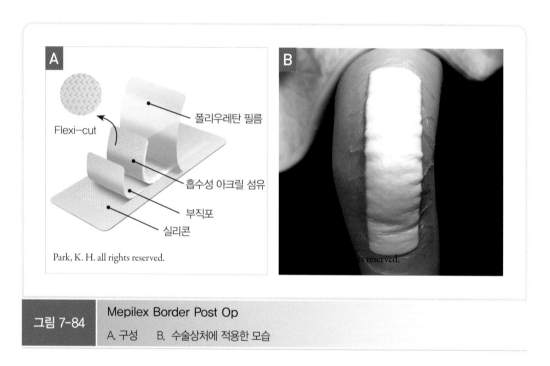

그림 7-84	Mepilex Border Post Op
	A. 구성 B. 수술상처에 적용한 모습

사용법 및 주의점

- 잘라서 사용할 경우 고유의 드레싱제 구조가 유지되지 않는다.
- 적어도 상처주위피부를 2.5cm 이상 덮을 수 있는 크기를 선택한다.
- 깊은 상처에는 상처를 채우는 드레싱제를 적용한 후 복합 드레싱제로 덮는다.

드레싱제

제품	제조사 또는 판매자
Aquacel Foam, Aquacel Foam Adhesive, Aquacel Surgical, Versiva (XC)	ConvaTec
Medifoam F	Mundipharma
Mepilex Border Post Op	Mölnlycke Health Care
OpSite Plus, OpSite Post-Op, Post op visible	Smith & Nephew

그림 7-85   복합 드레싱제

적응증

- 욕창 등의 만성 개방상처(그림 7-88 A)
- 당뇨병성궤양, 정맥울혈성궤양
- 급성 외상
- 피부이식 부위, 절단 부위
- 이식수술 전후 및 절단 부위, 총상 등 외상
- 열개된 절개 부위(dehisced incisional wound)(그림 7-88 D)

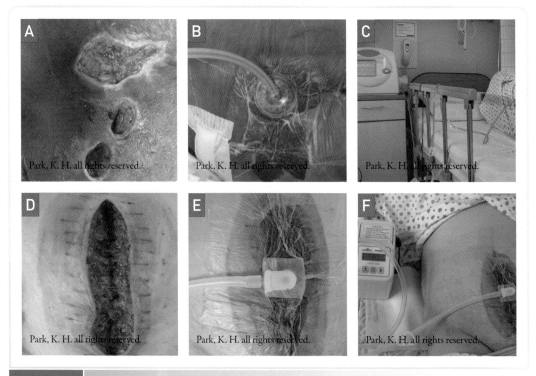

그림 7-88	A. 만성 욕창　B. V.A.C.의 흡입패드를 적용　C. V.A.C. 연결한 모습
	D. 급성 수술상처　E. 큐라백의 흡입패드 적용　F. 큐라백 연결한 모습

사용법 및 주의점

- 제조사마다 적용 절차가 차이가 있으므로 지침을 잘 숙지한 후 적용한다.
- 음압치료를 위한 모든 절차는 무균적으로 한다.
- 필요시 폼 드레싱을 상처의 모양과 크기에 맞게 잘라서 사용한다.
- 필름 드레싱제와 상처 사이의 진공상태가 유지되지 않으면 음압이 걸리지 않으므로, 새는 부위를 확인하여 필름 드레싱제를 덧대어 진공상태가 유지되도록 한다.
- 골지거나 굴곡진 부분은 하이드로콜로이드 연고(paste)나 링(wafer ring)을 이용하여 메꾼 후 적용한다(그림 7-89).
- 일반적인 사용시간(48시간)을 준수하고 음압이 유지되는지 수시로 확인한다.
- 치료가 끝나거나 교체가 필요하면 음압치료 기구 작동을 멈추고 드레싱제를 제거한다.
- 상처 부위에 위치하는 폼은 일회용이므로 한 번만 사용한다.
- 환자 이송 시에도 음압치료 기구는 대부분 휴대가 가능하므로 지속적으로 음압이 유지되도록 한다.
- 부득이 기구를 분리해야 할 경우 클램프로 튜브를 조여 음압을 유지한 다음 음압치료 기구에서 튜브를 분리하고, 오랜 시간이 경과하면 음압이 유지가 안 되므로 신속히 복귀하여 음압치료 기구를 다시 연결한다.
- 누공, 괴사조직, 골수염, 암상처, 출혈위험성이 있는 상처에 적용 시 주의한다.
- 혈관이나 장기가 직접 노출된 상처는 상처접착면 실리콘 드레싱제(Mepitel)를 적용한 후 그 위에 적용한다.

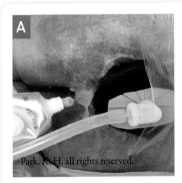
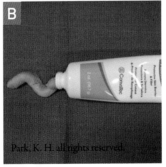
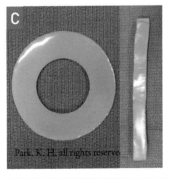

| 그림 7-89 | A. 굴곡진 부위에 진공상태를 유지하기 위해 하이드로콜로이드 드레싱제를 적용함 |
| | B. 연고 형태의 하이드로콜로이드 드레싱제   C. 링 형태의 하이드로콜로이드 드레싱제 |

5. 피부관리 제품

1) 피부세척제(Skin cleanser)

비누가 갖고 있는 부작용을 피하면서 대소변으로 인해 취약해진 피부를 깨끗이 세척할 수 있는 제품이다(그림 7-90).

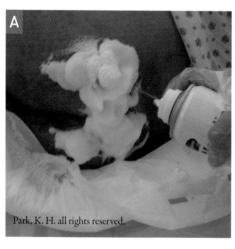

그림 7-90	다양한 피부세척제

특징

- Stearic acid, myristic acid 등의 각질층에 존재하는 지방산(free fatty acid)과 triethanolamine과 같은 매우 부드러운 계면활성제를 이용해서 오염물질을 세척한다. 비누를 사용할 경우 각질층의 정상 유분 손실로 인해 발생하는 피부건조, 거친 피부 등의 부작용을 줄일 수 있다.
- 피부세척제가 보습제를 포함하고 있는 2-in-1 제품을 사용하면 피부관리하는 시간과 노력을 절약할 수 있다.
- 세척 후에도 피부의 적정 산도를 유지한다.
- 피부 세척과 보습을 동시에 하며 사용 후에 다시 물로 씻어 낼 필요가 없다(그림 7-91).

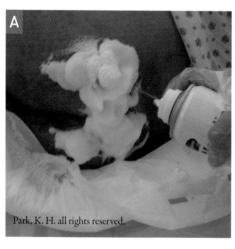
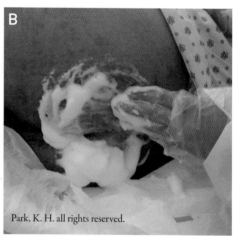

그림 7-91	A. 피부세척제를 뿌리는 모습
	B. 피부세척제를 가볍게 문지르는 모습

주의점

- 피부세척제 중 알칼리성 pH는 피부에 자극을 주며 세균의 과도한 성장을 일으키기 때문에 피부 산도에 영향을 주지 않도록 산균형이 맞추어진 것(pH-balanced)을 사용한다.

2) 피부보습제(Skin moisturizer)

피부에 보호막을 형성하여 수분 증발을 억제하는 보습효과가 있다(그림 7-92).

특징

- 피부보습제는 피부의 각질층의 수분 함유량을 증가시키는 외용제이며, 주성분으로 습윤제 (humectant agent), 수분차단제(occlusive agent), 유연제(emollient agent) 등을 함유 하고 있다.
  - 습윤제는 각질층의 수분 함유량을 증가시 킨다.
  - 수분차단제는 피부로부터 수분이 손실되 는 것을 억제한다.
  - 유연제는 피부의 표면을 부드럽게 하여 마 찰에 의한 손상을 감소해준다.

그림 7-92 다양한 피부보습제

- 보습제는 별도로 적용할 수도 있지만 많은 경우 피부세척제나 피부보호제에 포함되어 있어서 피부관리하는 시간과 비용을 줄일 수 있다.
- 가려움증을 완화한다.
- 성장인자를 함유한 제품은 피부의 재생효과도 있다.

사용법 및 주의점

- 피부에 깊숙이 스며들 수 있도록 부드럽게 자주 바른다(그림 7-93).
- 개방상처에 직접 적용해서는 안 되고, 발에 적용 시 발가락 사이는 바르지 않는다.

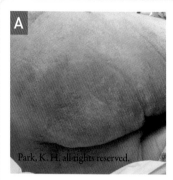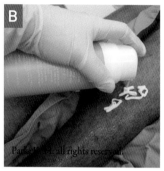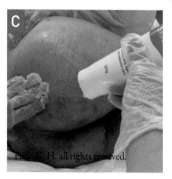

| 그림 7-93 | A. 건조한 피부   B, C. 피부보습제를 적용하는 모습 |

3) 피부보호제(Skin protectant)

피부가 유해한 자극물질에 노출되는 것을 막는 외용제이다(그림 7-94).

특징

- Petrolatum, lanolin, beeswax, dimethicone 등의 수분차단제와 산화아연(zinc oxide), calamine 등을 함유하는데, 크림 혹은 연고 형태로 개발되어 있다.

| 그림 7-94 | 다양한 피부보습제 |

- 크림은 수분 기제(water-based) 제품으로 lanolin을 함유하고 있고, 연고는 오일 기제(oil-based) 제품으로 petrolatum이 포함되어 있어 방수 차단 효과가 강력하여 크림보다 작용이 오래간다 (그림 7-95).

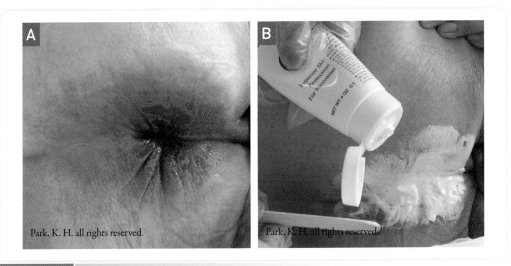

그림 7-95   A. 변실금으로 인해 손상된 피부   B. 연고 형태의 피부보호제를 적용하는 모습

- 피부보호제의 대용품으로 피부보호필름(liquid-barrier film)과 하이드로콜로이드 파우더(powder) 형태의 제품, 굴곡진 부위를 메꾸기 위해 주로 쓰이는 피부보호연고제인 하이드로콜로이드 페이스트(paste) 형태의 제품이 개발되어 있다(그림 7-96).

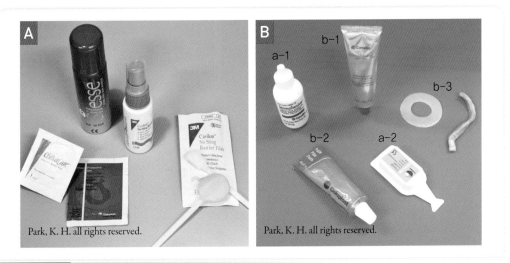

그림 7-96   A. 피부보호필름   B. 하이드로콜로이드 파우더(a-1, 2), 하이드로콜로이드 페이스트(b-1, 2, 3)

사용법 및 주의점

- 피부보호필름(skin sealant)은 폴리머와 용매(solvent)로 이루어져 있는데, 적용 후에 용매는 휘발되고 폴리머만 남아서 필름을 형성한다. 흔히 용매로는 알코올은 피부에 자극을 주고 세포 독성이 있을 수 있으므로 무알콜 피부보호필름을 사용하는 것이 좋다(그림 7-97).

- 파우더(powder)는 피부에 적용 시 지나치게 많은 수분을 흡수하고 분말이 호흡기에 영향을 준다는 보고가 있으므로 주의해야 한다. 너무 많이 뿌리면 파우더가 한데 뭉쳐 덩어리지면서 마찰과 피부 침식이 더 많이 발생할 수 있으므로 가볍게 조금만 뿌려야 한다.

- 페이스트(paste)란 방수차단막 연고에 파우더가 첨가된 제제로서 회음부 피부의 침식이 많이 진행되어 삼출물이 나오는 경우에 사용한다. 페이스트에 첨가되는 파우더로는 산화아연(zinc oxide)은 제거하기 쉽지 않기 때문에 미네랄오일이나 제품화된 피부잔여물제거제(그림 7-16 참조)를 이용하면 부드럽게 제거할 수 있다. 피부보호를 위해 두껍게 바르거나 피부와 피부부착물(장루주머니 등)과의 틈새를 메우는 데 사용되는 등 쓰임새가 조금 다르므로 제품의 특성을 잘 파악한 후 적용한다.

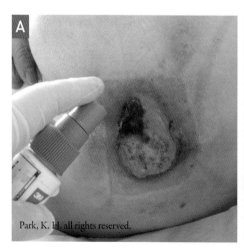
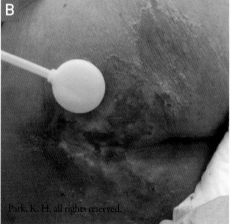

그림 7-97　피부보호필름을 적용하는 모습

8

그림으로 보는

욕창관리

욕창관리

욕창으로 인한 피부손상은 어느 단계에서는 치료가 쉽지 않아 국소적인 문제로 인해 생명까지 위협할 수 있을 뿐만 아니라 심리사회적인 문제, 경제적인 손실을 초래한다. 이에 전통적으로 간호사의 중요한 독자적인 업무인 욕창관리를 위해 다각적인 노력이 필요하다.

1. 욕창의 개념

1) 욕창의 정의

- 욕창은 흔히 뼈 돌출부위나 의료기기(medical device)와 관련하여 지속적인 압력(pressure)이나 전단력(엇밀린힘, shearing force)이 가해져 발생한 피부 또는 하부 조직의 국소적인 손상이다[National Pressure Ulcer Advisory Panel (NPUAP), 2016].

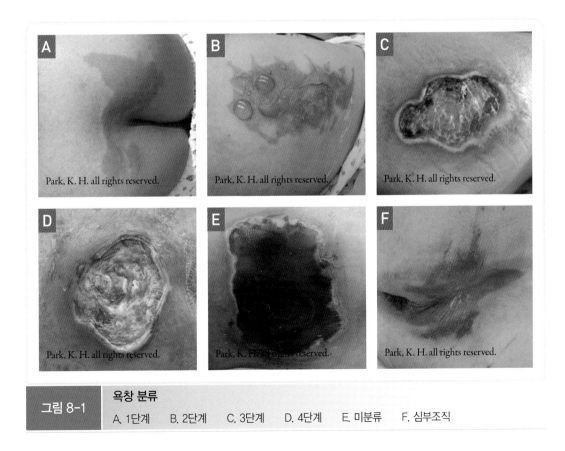

그림 8-1	욕창 분류
	A. 1단계 B. 2단계 C. 3단계 D. 4단계 E. 미분류 F. 심부조직

2) 욕창의 명칭

- 미국의 욕창자문위원회(NPUAP, 2016)에서는 욕창의 정의를 확장하면서, 오랫동안 사용해오던 '압박궤양(pressure ulcer)'이란 명칭을 '압박손상(pressure injury)'으로 변경하였다. 이는 1단계 욕창의 경우 표피가 온전하므로 표피의 손실을 의미하는 궤양(ulcer)이라는 기존의 용어가 부적절하고, 또한 욕창예방의 차원에서 이미 손상을 의미하는 궤양이란 용어가 적절하지 않다고 판단하였기 때문에, 손상(injury)으로 명칭을 변경하였다.

2. 욕창 발생의 원인

1) 압력

- 압력은 수직으로 가해지는 힘을 면적으로 나눈 값으로, 욕창 발생의 가장 큰 원인이다. 압력의 강도·기간·조직의 내구성의 정도에 따라 욕창이 발생한다.
  - 압력=수직으로 가해지는 힘/면적
  - 임상에서는 압력은 체중을 신체에 닿는 면적으로 나눈 값으로 이해하면 쉽다.
- 임상에서 정확히 판단이 어렵지만, 주로 압력만을 받아 발생한 욕창은 비교적 둥근 모양이다. 이때 압력이 약하게 주어질 경우는 얕은 욕창(1단계, 2단계)이 대부분이며(그림 8-1 A, B), 압력이 강하게 주어질 경우는 상처 입구가 넓고 둥글지만 깊은 욕창(3단계 이상)으로 보인다(그림 8-1 C, D, E, F).

2) 전단력

- 전단력을 이해하기 위해 마찰력에 대해 먼저 알아야 한다. 마찰력은 두 개의 표면(수평면)이 서로 반대편으로 움직일 때 생기는 힘으로, 욕창의 발생과 관련하여 동적마찰력(dynamic friction)과 정적마찰력(static friction)으로 구분하기도 한다.

  침대 시트 등 거친 면으로 피부를 끌어당길 때(물체가 움직일 때)에 발생하는 동적마찰력에 의한 피부손상은 비교적 얕고 넓은 모양으로(p.222 Point 그림), 일반적으로 마찰력이라고 하면 동적마찰력을 생각하고 이것에 의해 발생한 피부손상은 욕창이라고 판단하지 않는다. 그러나 정적마찰력(물체가 스스로 움직이지 않아도 이차적으로 발생하게 되는 마찰력)은 피부에 수직으로 압력을 가할 때 심부조직이 수평으로 경사를 이루면서 발생하는 마찰력으로 욕창 발생에 관여를 한다(그림 8-2 B).

  그러므로 마찰력은 단독으로 욕창 발생의 원인이 될 수 없고, 정적마찰력(수평면)이 압력(중력)과 결합한 힘을 의미하는 전단력은 욕창 발생의 원인이 된다(그림 8-40 참조).

● 대상자가 신체를 움직일 때, 흔히 임상에서는 침대 머리 쪽을 올렸을 때 전단력에 의해 주로 얕은 근막(fascia)과 근육에 단단히 붙어있는 깊은 근막 사이가 엇갈리면서 혈액순환장애를 일으켜 근육과 같은 깊은 조직에 욕창이 발생한다. 전단력에 의한 욕창은 잠식(정상적인 피부 표면 아래의 조직이 파괴된 것)이 형성된 모양이다(그림 8-2 E, 8-40 B 참조).

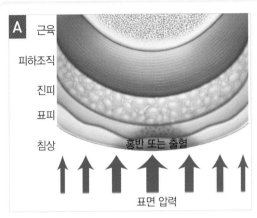

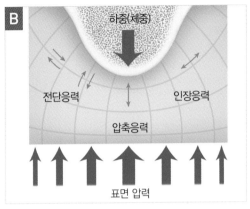

*응력(stress, 應力): 하중(체중)이 조직에 작용할 때, 조직 내부에서 이에 대해 저항하여(서로 밀고 당김) 발생하는 힘. 조직 내부에서 단위 면적당 받게 되는 힘으로, 저항력, 변형력 또는 내력(内力)이라고 함
 – 인장응력(tensile stress): 하중이 조직에 수직으로 작용할 때, 수직으로 길이가 늘어나도록 당기는 힘
 – 압축응력(compression stress): 하중이 조직에 수직으로 작용할 때, 수직으로 길이가 줄어들도록 누르는 힘
 – 전단응력(shear stress): 하중이 조직에 수평으로 작용할 때 발생하는 힘

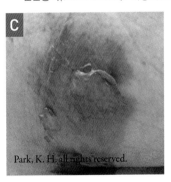

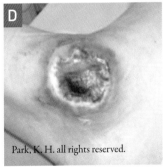

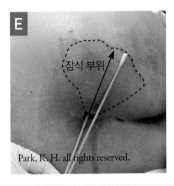

그림 8-2	압력과 전단력의 작용 기전과 예
	A. 얕은 조직에 압력의 작용
	B. 깊은 조직에 압력과 전단력의 작용
	C. 주로 압력에 의해 발생한 얕은 욕창
	D. 주로 압력에 의해 발생한 깊은 욕창
	E. 전단력에 의해 발생한 깊은 욕창(잠식이 발생)

Point

- 축축한 침대 시트와 피부가 닿아 있는 상태의 대상자를 끌어당기면서 얕고 넓은 모양의 피부손상이 발생하였다. 이와 같이 피부손상의 원인을 명확히 마찰력 단독이라고 판단한 경우는 욕창이라고 하지 않는다. 다만 임상에서는 마찰과 압력, 전단력의 작용이 명확하지 않은 경우가 많아 원인을 판단하는 데 어려움이 있다. 그러므로 대상자의 실제 상황을 고려하여 원인을 파악하는 것이 중요하다.

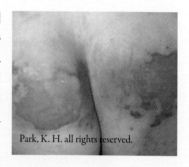

3. 욕창 발생의 기전

신체 일부분에 일정 크기 이상의 압력이 지속되면, 국소조직의 모세혈관이 직접 눌려지거나 혈전 등으로 막혀 저산소증을 초래함으로써, 조직에 괴사를 일으켜 돌이킬 수 없는 손상이 발생한다. 이것은 피부표면에서 심부조직(피하조직과 근육)으로 손상(top to down)되거나(그림 8-3 A, B, C, D) 또는 먼저 심부조직이 뼈 돌출부위 등에 의해 직접 압력을 받아 손상이 된 후 피부표면(down to top)으로 나타난다(그림 8-3 E).

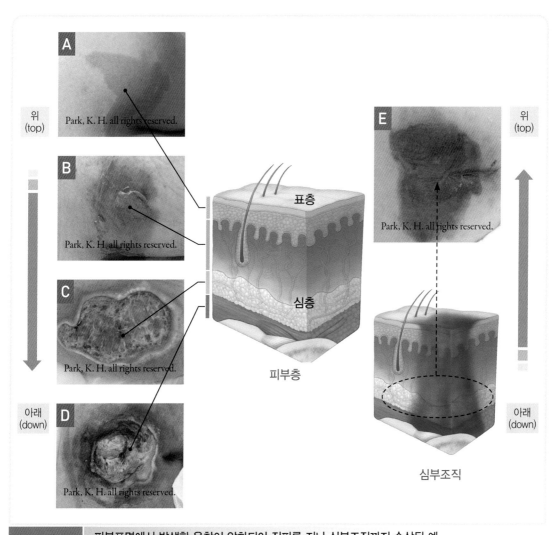

그림 8-3	**피부표면에서 발생한 욕창이 악화되어 진피를 지나 심부조직까지 손상된 예** A. 피부 발적(비창백성 홍반) B. 진피 일부 손상 C. 피하조직 일부 손상 D. 근육 이상 손상 **욕창이 심부조직에서 이미 발생하고 시간이 경과된 후 피부표면으로 나타난 예** E. 심부조직 손상

4. 욕창의 생리적 변화

피부가 압력을 받은 첫 증상인 홍반(발적)이 나타나면서 욕창이 시작된다.

1) 창백성 홍반(Blanching erythema): 피부의 홍반을 압박할 때 하얗게 되는 홍반

- 피부의 붉게 된 부분(발적, 홍반)을 압박하였을 때 하얗게(창백하게) 변하고, 압박을 없애면 3~4초 내로 피부가 다시 붉게 되는 증상이다(그림 8-4).
- 외부의 압력에 의해 진피의 모세혈관이 잠깐 닫히면 일시적으로 조직이 허혈 상태가 되며, 이때 혈관이 허혈 상태를 극복하기 위해 이완되면서 나타나는 보상적 기전으로 혈류가 증가하여 피부에도 혈액이 충혈된 상태(반동성 충혈, reactive hyperemia)이다.
- 창백성 홍반은 혈관이 손상되기 전의 상태로 조직이 압력을 받는다는 증거이며, 만일 압력이 감소되거나 없어진다면 홍반은 회복될 것이다. 그러나 이러한 충혈 상태가 지속되어 압박 시 하얗게 되지 않는 홍반(nonblanching erythema)으로 악화되면, 이는 1단계 욕창이 되었음을 의미한다(그림 8-6 참조).

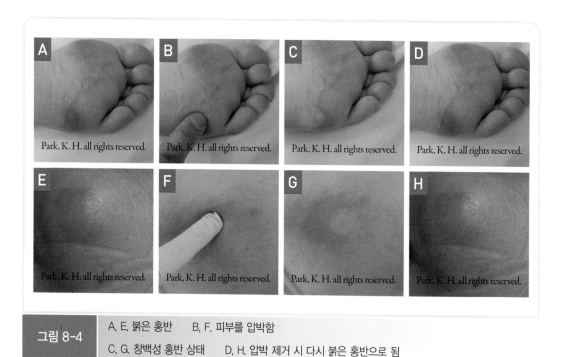

| 그림 8-4 | A, E. 붉은 홍반　　B, F. 피부를 압박함
C, G. 창백성 홍반 상태　　D, H. 압박 제거 시 다시 붉은 홍반으로 됨 |

- 창백성 홍반을 확인하기 위해 손가락을 이용할 경우, 손톱으로 피부에 이차적인 손상이 가해지거나 짧은 순간에 홍반이 창백하게 되는 것을 구별하기 어려울 수 있으므로 제품으로 된 투명한 도구(욕창압력판)를 사용하면 편리하다(그림 8-5).

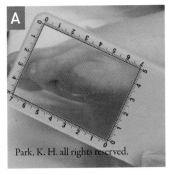 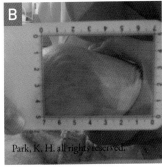 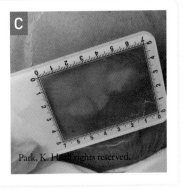

그림 8-5 욕창압력판으로 피부를 압박하여 창백성 홍반을 확인하는 모습
A. 5번째 중족골 B. 발뒤꿈치 C. 천골

Point

- 욕창압력판(pressure plate)으로 피부를 압박하여 피부색을 선명하게 관찰함으로써 욕창 1단계와 욕창 전 단계를 구별할 수 있고, 도구의 네 가장자리에 cm가 표시되어 있어 상처의 크기를 측정할 수 있는 자로도 활용이 가능하다.

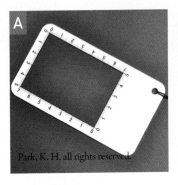 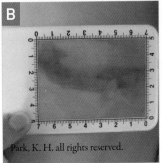

A. 욕창압력판
B. 욕창 1단계를 확인하면서 크기를 측정하는 모습

2) 비창백성 홍반(Nonblanching erythema): 피부의 홍반을 압박할 때 하얗게 되지 않는 홍반

- 피부의 붉게 된 부분을 압박하였을 때 하얗게(창백하게) 변하지 않고 피부가 계속 붉은 증상이다 (그림 8-6).
- 창백해지지 않는 홍반은 혈관이 손상되어 혈액이 조직 내로 유출되어 울혈된 상태로 혈류 장애가 왔다는 심각한 증상이며, 하위 조직의 파괴가 임박했거나 이미 발생했다는 것을 시사하는 증상으로 욕창 1단계이다.
- 피부의 색깔은 밝은 붉은색이거나 검붉은색 혹은 자주색을 띨 수도 있다.

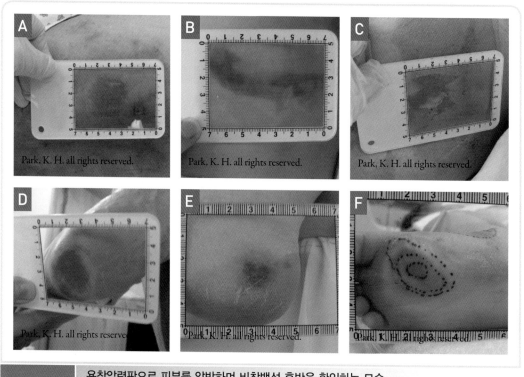

그림 8-6	욕창압력판으로 피부를 압박하며 비창백성 홍반을 확인하는 모습
	A. 대전자　　B, C. 둔부　　D, E, F. 발

5. 욕창의 분류

- 욕창의 분류는 미국욕창자문위원회의(NPUAP)의 조직의 손상 깊이에 따른 분류가 국제적으로 통용되고 있다. 그러나 욕창 분류에 대해서는 여전히 논점이 남아있어 계속적으로 전문가들의 합의를 이끌어내고 있으므로 지속적으로 관심을 갖고 정보를 수집해야 한다.

- 2016년에는 욕창 분류 중 '심부조직손상의심(suspected deep tissue injury)' 욕창에서 '의심(suspected)'을 생략하고 '심부조직(deep tissue)' 욕창으로 명명하였다. 다만 심부조직의 손상이 명확하지 않을 경우에는 기존 대로 '의심(suspected)'을 표기('심부조직손상의심' 욕창)하는 것도 가능하다.

- 욕창 단계의 기술은 로마숫자(Ⅰ, Ⅱ, Ⅲ, Ⅳ)와 아라비아숫자(1, 2, 3, 4)를 혼용하여 사용하던 것을 모두 아라비아숫자로 표기하도록 하였다 .

- 욕창 분류는 미국욕창자문위원회(2016)에서 새롭게 분류한 여섯 가지의 '욕창 단계 시스템(pressure injury staging system)'을 참조하여 국내『근거기반 욕창간호 실무지침 개정(병원간호사회, 2018)』에 수록된 분류를 소개한다.

- 욕창의 단계는 욕창에 국한하여 사용하며, 손상된 조직의 최대 깊이를 정의하는 데 적합하다.

Point 욕창 치유를 평가할 때 욕창 분류 기술

- 욕창 평가에서 단계를 나누는 것은 욕창의 심각한 정도를 알아보는 데 유용하다.
- 욕창이 치유되고 있는 경우 최초의 욕창 단계를 낮은 단계로 거꾸로 명명할 수 없다. 예를 들어, '4단계 욕창'이 육아조직(granulation tissue)으로 채워지더라도 '3단계 욕창'으로 평가해서는 안 된다. 이때는 '육아조직 형성 중인 4단계 욕창(granulating stage 4 pressure injury)' 또는 '치유 중인 4단계 욕창(healing stage 4 pressure injury)'으로 기술하며, 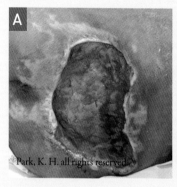 상피화(epithelization)가 완전히 이루어진 욕창은 '치유된 4단계 욕창(healed stage 4 pressure injury)'으로 기술한다.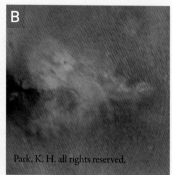

A. 치유 중인 4단계 욕창
B. 치유된 4단계 욕창

- 당뇨환자의 발에 압력으로 인해 상처가 발생한 경우 욕창이라고 하는 주장과, 당뇨병 질환으로 인해 치유가 지연되므로 당뇨병성 궤양으로 분류해야 된다는 주장이 있다. 후자에 대한 견해가 더 힘을 얻고 있다.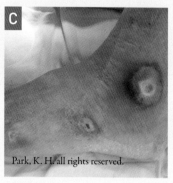

C. 당뇨발

1) 1단계 욕창(Stage 1 pressure injury)

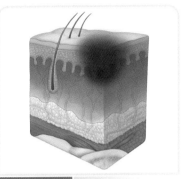

- 피부손상이 없는 비창백성 홍반(nonblanching erythema)으로, 일반적으로 뼈 돌출부위에 국소적으로 형성되며 눌러도 하얗게 되지 않는 발적(nonblanchable redness)이다.

- 검은 피부는 하얗게 되는 것을 보기 어려우므로 이때는 주위 피부색과 다른 색을 띠는 것으로 구별할 수 있다. 이 부위에는 통증이 있으며, 단단하거나 부드럽고 주위조직에 비해 따뜻하거나 차갑게 느껴질 수 있다.

- 압력을 제거하고도 2시간 내 또는 24시간 내로 회복되지 않는 홍반으로 회복되는 시간에 대해서는 논쟁 중이며 압력이 제거되고 나면 발적(홍반)은 서서히 회복이 된다(그림 8-7, 8-8, 8-9).

그림 8-7   **1단계 욕창**

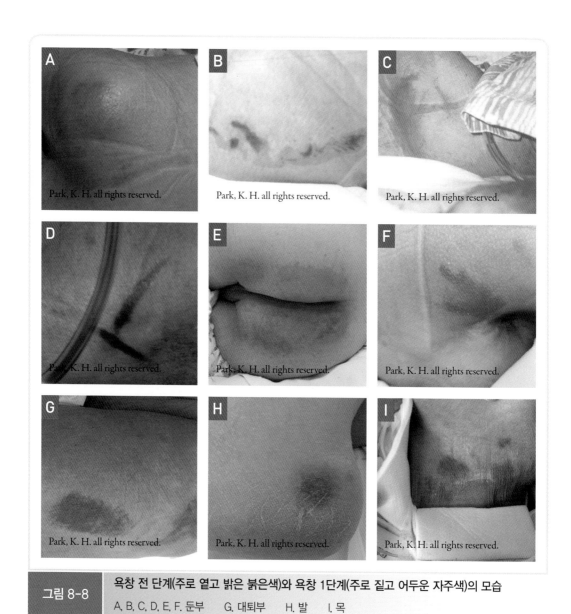

그림 8-8	욕창 전 단계(주로 옅고 밝은 붉은색)와 욕창 1단계(주로 짙고 어두운 자주색)의 모습
	A, B, C, D, E, F. 둔부 G. 대퇴부 H. 발 I. 목

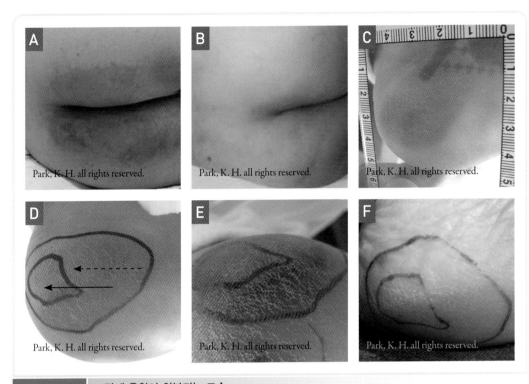

그림 8-9	**1단계 욕창이 회복되는 모습**
	A. 비창백성 홍반인 1단계 욕창
	B. 압력 제거 후 회복된 1단계 욕창
	C. 욕창압력판으로 압박을 한 모습
	D. 밝은 붉은색(◀┈)과 짙은 자주색(◀—) 부분을 표시한 모습
	E. 밝거나 어두운 자주색 홍반이 거의 회복됨
	F. 홍반이 완전히 사라짐

- 창백해지지 않는 홍반이 오랫동안 지속되면 심부조직 욕창을 의심해볼 수 있고, 이때는 홍반이 나타난 부위를 촉지하면 경결되었거나 축축한 것을 느낄 수도 있다(그림 8-10).

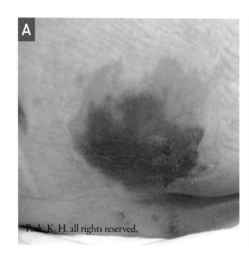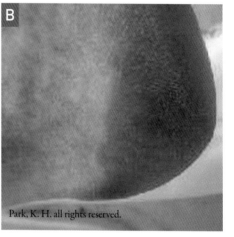

그림 8-10 **1단계 욕창과 구별이 어려운 심부조직 욕창**
A, B. 짙은 자주색은 심부조직 욕창이 의심되지만 옅은 붉은색 부분은 1단계 욕창으로 혼동될 수 있는 모습(A. 천골 B. 발뒤꿈치)

Point

압력에 의해 나타난 비창백성 홍반을 반상출혈(ecchymosis)이나 혈종(hematoma)과 혼동하지 않도록 한다.

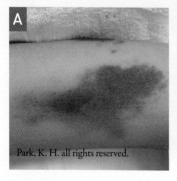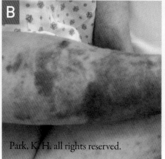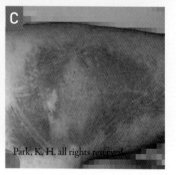

A, B. 반상출혈
C. 혈종

2) 2단계 욕창(Stage 2 pressure injury)

- 표피는 물론 진피가 부분적으로 손상된 상태로, 분홍색이 나 붉은색을 띠며 부육(딱지, slough)이나 반상출혈이 없는 얕은 궤양으로 장액성 수포가 나타나기도 한다(그림 8-11, 8-12).
- 진피 부위에 반상출혈이 있는 경우 2단계 욕창보다 심한 심부 조직 욕창을 의심해야 한다(그림 8-27 B 참조).

| 그림 8-11 | 2단계 욕창 |

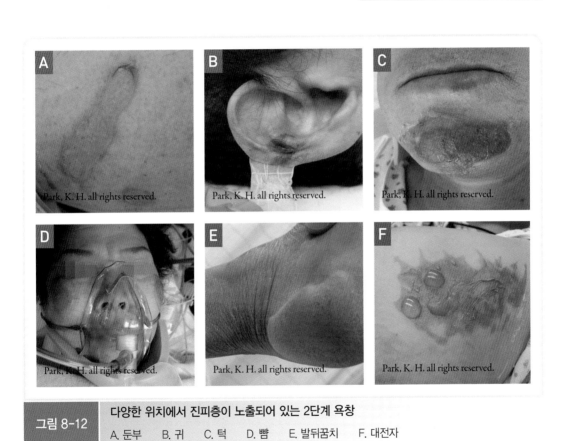

그림 8-12	다양한 위치에서 진피층이 노출되어 있는 2단계 욕창
	A. 둔부 B. 귀 C. 턱 D. 뺨 E. 발뒤꿈치 F. 대전자

그림으로 보는 상처관리

Point

수포의 특성이 장액성 삼출물인 경우는 2단계 욕창이지만, 혈액이 섞인 수포는 심부조직 욕창이다.

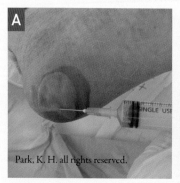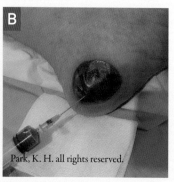

A. 장액성 삼출물
B. 혈액성 삼출물

- 2단계 욕창은 진피와 표피가 재생(regeneration)되면서 치유된다(그림 8-13).

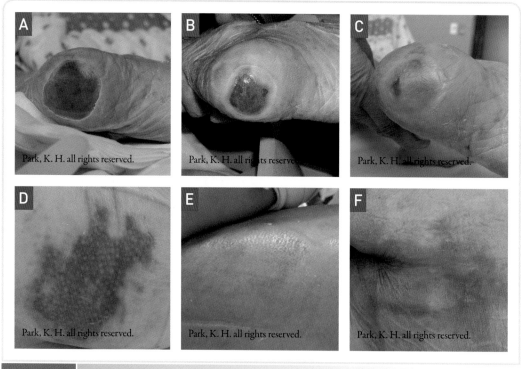

그림 8-13　A. 2단계 욕창　　B. 욕창(A) 치료 5일 후　　C. 욕창(A) 치료 2주 후
D. 표피의 재생이 진행 중　　E, F. 거의 표피가 재생됨

234

- 2단계 욕창은 습기관련피부손상(moisture associated skin damage, MASD), 피부열상(skin tear), 테이프로 인한 표피박리(tape stripping), 방사선조사로 인한 피부손상, 감염관련피부손상(infection associated skin damage) 등과 구별해야 하고, 이를 위해 피부손상의 원인을 우선적으로 파악해야 한다.

- 특히 2단계 욕창의 호발부위인 천골, 미골과 해부학적으로 가까운 회음부와 둔부주위 피부에 빈번하게 발생하는 습기관련피부손상은 욕창과 함께 발생하기도 하여 감별이 쉽지 않다(그림 8-14).

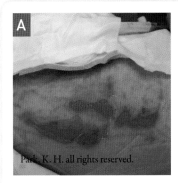 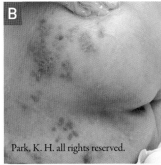 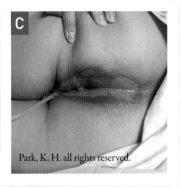

그림 8-14 **2단계 욕창과 감별이 필요한 피부손상의 예**
A. 테이프로 인한 표피박리   B. 바이러스감염(대상포진)으로 인한 피부손상
C. 방사선조사로 인한 피부손상

Point

습기관련피부손상(MASD)은 실금관련피부염(incontinence associated dermatitis, IAD), 간찰진피부염 (intertriginous dermatitis), 상처주위습기관련피부염(periwound moisture associated dermatitis), 장루주위습기관련피부염(peristomal moisture associated dermatitis)으로 분류한다. 이는 대소변이나 땀, 상처의 삼출물, 소화액, 점액, 타액 등 다양한 습기에 의해 발생하는 피부의 염증을 총칭하는 용어로 서 최근에 사용되기 시작했으며, A B C D E 적절히 관리되지 않으면 악화되어 감염으로 진행되기도 한다. F

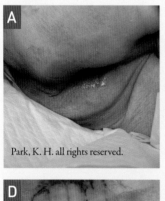
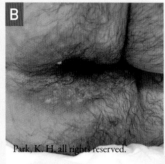
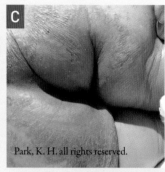
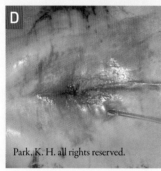
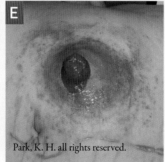
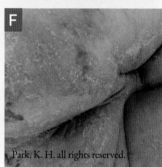

습기관련피부손상의 예
A. 설사로 인한 실금관련피부염
B. 땀으로 인한 회음부피부염
C. 마찰과 습기로 인한 간찰진피부염
D. 상처주위 습기관련피부염
E. 장루주위 습기관련피부염
F. 진균감염으로 진행

3) 3단계 욕창(Stage 3 pressure injury)

- 표피와 진피는 물론 피하조직 일부까지 손상된 상태이다. 피하조직이 관찰되나 근육·건·뼈는 노출되지 않았고, 괴사조직(necrotic tissue) 및 공동(cavity)이 존재할 수 있다(그림 8-15, 8-16).

| 그림 8-15 | 3단계 욕창 |

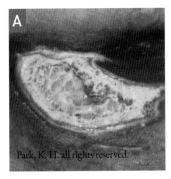 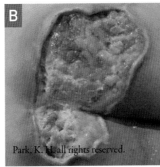 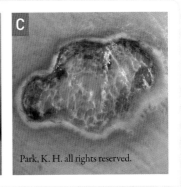

| 그림 8-16 | 피하조직이 노출되어 있는 3단계 욕창 |
| | A, B. 천골과 미골   C. 대전자 |

Point

- 3단계 욕창은 해부학적 위치에 따라 조직손상의 깊이가 달라진다. 코, 귀, 후두부, 복사뼈 등은 피하조직이 거의 없어 3단계 욕창이라도 매우 얕을 수 있고, 반대로 피하조직이 두꺼운 부위는 조직손상이 상당히 깊다.

콧등에 발생한 3단계 욕창

4) 4단계 욕창(Stage 4 pressure injury)

- 근막 이하의 조직이 손상된 상태이다. 근육이나 건(힘줄, tendon)·뼈 등이 노출되며, 괴사조직 및 공동이 존재할 수 있다(그림 8-17, 8-18).

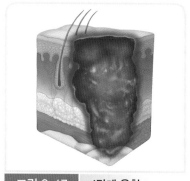

| 그림 8-17 | 4단계 욕창 |

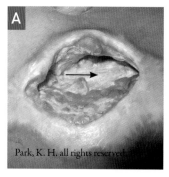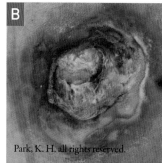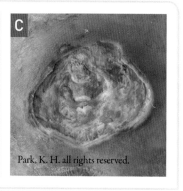

| 그림 8-18 | 4단계 욕창 |
A. 건(➡)노출   B, C. 근육과 뼈 노출

Point

- 4단계 욕창은 해부학적 위치에 따라 조직손상의 깊이가 달라진다. 피하조직이 거의 없는 코, 귀, 후두부, 복사뼈 등은 얕은 상처지만 4단계 욕창일 수 있다.
- 4단계 욕창은 근육이나 지지구조층(근막, 건, 관절낭 등)까지 손상되어 골수염의 가능성이 있다.

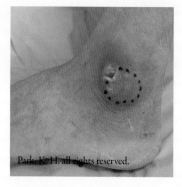

복사뼈에 발생한 4단계 욕창

5) 미분류/단계측정불가 욕창 (Unstageable pressure injury)

- 상처기저부가 괴사조직으로 덮여 조직손상의 깊이를 알 수 없으므로 단계를 분류할 수 없는 상태이다(그림 8-19, 8-20).
- 전층 피부손상으로 부육(노란색, 황갈색, 회색, 초록색이나 갈색)이나 건조가피(갈색, 회갈색 또는 검정색)가 충분히 제거되면 상처의 깊이와 욕창의 단계를 알 수 있다.

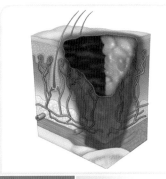

그림 8-19   미분류 욕창

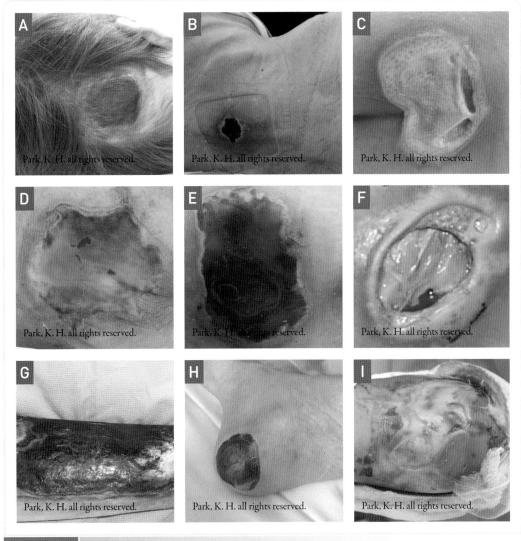

그림 8-20   다양한 위치에서 발생한 미분류 욕창

A. 머리(후두)   B. 척추   C, D, E. 천골   F. 대전자   G. 다리(경골)   H, I. 발뒤꿈치

- 심부조직의 손상이므로 괴사조직을 제거하고 나면 상처기저부의 노출 정도에 따라 3단계, 4단계 욕창이 된다(그림 8-21).

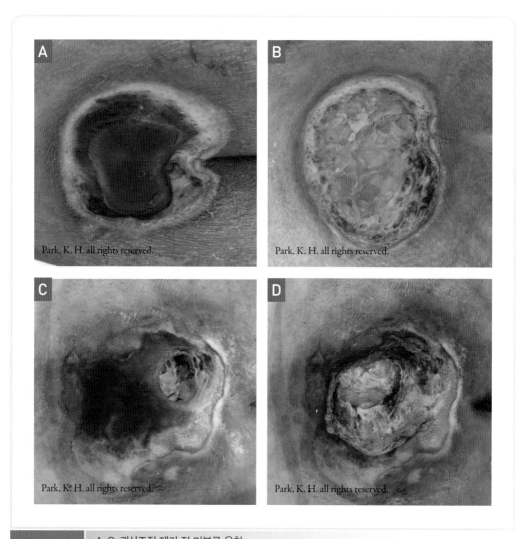

그림 8-21	A, C. 괴사조직 제거 전 미분류 욕창
	B, D. 괴사조직 제거 후 3단계(B)와 4단계(D) 욕창으로 판명된 모습

- 미분류 욕창의 괴사조직은 제거하는 것이 원칙이나, 감염증상이 없고 무통성으로 발뒤꿈치에 들러붙어 있는 검정색 건조가피는 외부의 오염을 막아주는 역할을 하기 때문에 제거하지 않는다(그림 8-22).
- 혈액순환이 좋지 않거나 상처치유 능력이 떨어지는 경우는 괴사조직의 제거가 위험하거나 불필요한 경우가 있으므로 주의해야 한다.
- 미분류 욕창은 괴사조직 아래로 농양을 형성하기 쉬우므로 상처주위에 염증증상이 나타나는지 주의 깊게 관찰한다(그림 8-23).

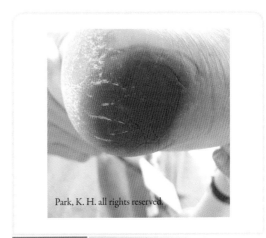

그림 8-22 발뒤꿈치의 건조가피

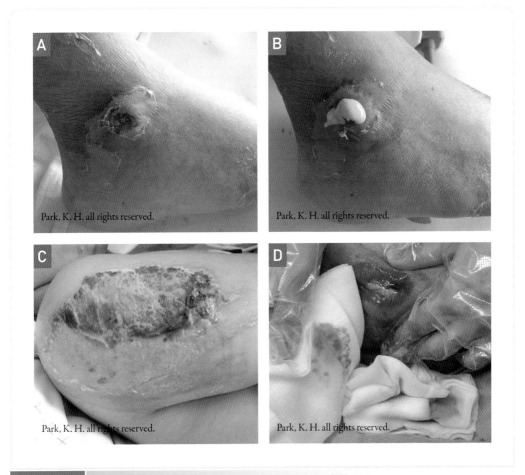

그림 8-23
A, C. 괴사조직 주위로 홍반 등 염증증상이 있는 미분류 욕창
B, D. 괴사조직을 제거 후 화농성 배액이 되고 있는 모습

- 괴사조직이 금기라도 감염 증상이 있으면서 농양을 형성한 경우는 외과적 수술을 통해 배액해야 한다(그림 8-24).

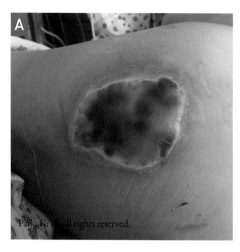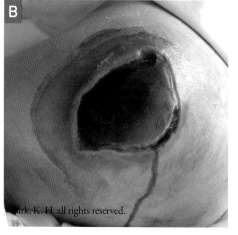

그림 8-24	A. 대전자에서 발생한 미분류 욕창 B. 상처치유 능력이 없어 괴사조직제거를 할 수 없던 상태에서 1주일 후 모습으로 　 누런색 괴사조직(A)이 검정색으로 두껍게 변하면서 농양을 형성하여 화농성 출혈이 되고 있음

6) 심부조직 욕창(Deep tissue pressure injury)

- 피부의 일부분이 자주색이나 적갈색으로 변색된 온전한 피부로, 압력이나 전단력으로 인해 피부의 상부보다는 하부의 심부조직(피하지방층 및 근육층)이 먼저 손상되면서 혈액이 찬 수포가 나타난 상태이다.
- 주위조직에 비하여 단단하거나 물렁거리고 통증을 유발할 수 있고, 따뜻하거나 차갑게 느껴질 수 있으며, 처음에는 손상된 깊이를 알 수 없다. 증상이 심하지 않으면 확실한 심부조직 욕창으로 진행되기까지는 시간이 소요될 수 있다 (그림 8-25, 8-26).

그림 8-25　심부조직 욕창

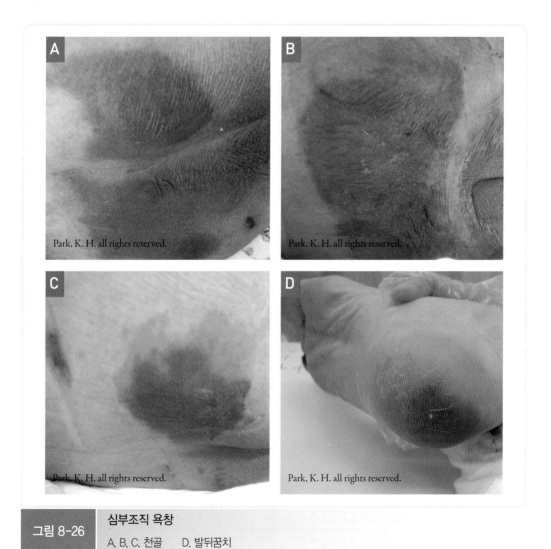

그림 8-26　심부조직 욕창
A, B, C. 천골　　D. 발뒤꿈치

- 심부조직 욕창은 피부색이 검은 경우 구별하기 어렵다.
- 심부조직이 손상된 어두운 색(짙은 자주색 또는 검붉은색)의 상처기저부에 얇은 수포가 발생하고 (그림 8-27 A), 이것이 벗겨지면서 그 후 적절한 처치에도 불구하고 빠르게 개방상처로 진행된다. 이때 상처기저부는 밝은 붉은 빛을 띠다가(그림 8-27 B) 점차 괴사조직으로 변하면서(그림 8-27 C) 심부조직(피하조직이나 근육)이 손상된 것을 확인할 수 있다(그림 8-27 D).

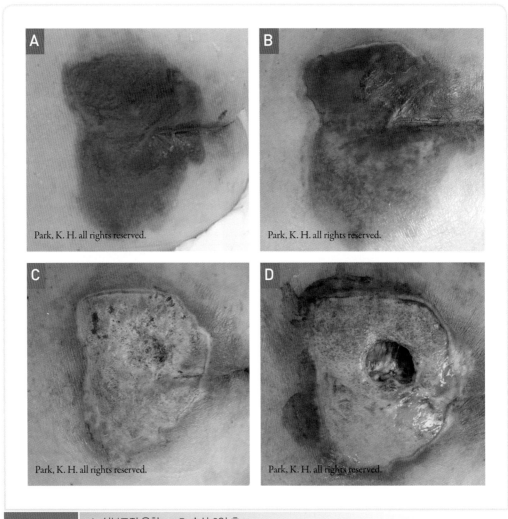

| 그림 8-27 | A. 심부조직 욕창   B. 손상 3일 후
C. 손상 2주 후   D. 손상 4주 후(근육이 보임) |

8

- 심부조직 욕창은 시간이 경과하면서 자연적으로 변화하는 양상을 나타낸다(그림 8-28).
- 심부조직 욕창이 초기에는 자주색의 온전한 피부(1단계 욕창과 구별)나(그림 8-28 A) 수포(2단계 욕창과 구별)로(그림 8-28 B) 관찰될 수 있다. 이후에 손상된 조직이 회복되지 않고 자주색의 개방된 피부가 되고(그림 8-28 C), 손상된 지 약 7~10일이 지나면서 자주색의 괴사조직으로 변하기 시작한다(그림 8-28 D). 이때 심부조직 욕창임을 확실히 알 수 있다. 이후에는 서서히 검정색 괴사조직(미분류 욕창)이 되고(그림 8-28 E), 괴사조직을 제거하고 나면 피하조직(3단계 욕창)(그림 8-28 F) 또는 근막, 근육, 뼈(4단계 욕창)(그림 8-28 G)가 보일 수 있다.

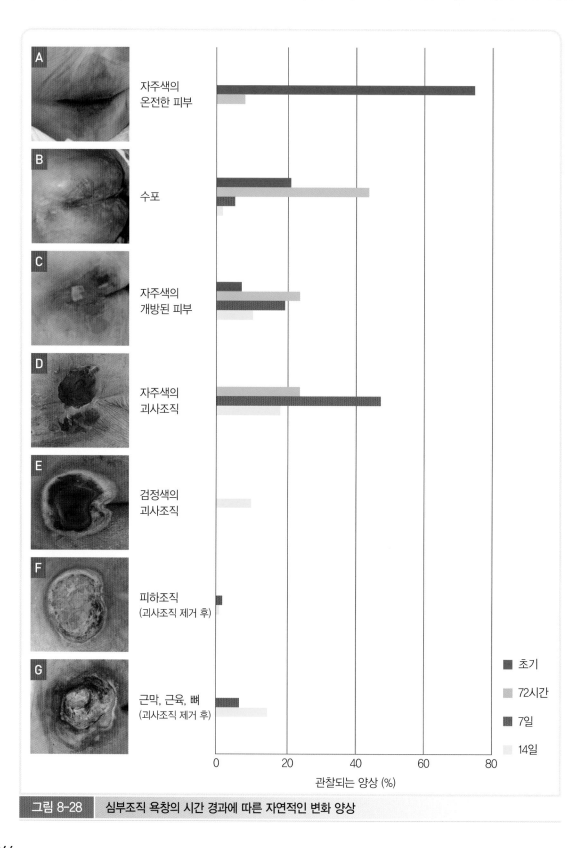

그림 8-28 심부조직 욕창의 시간 경과에 따른 자연적인 변화 양상

심부조직 욕창과 1단계 욕창의 구별

• 심부조직 욕창과 1단계 욕창은 혼동하기 쉽다. 두 욕창 모두 표피의 손상이 없어 표피 아래의 피부 색깔로 구별하기 때문에 임상에서 육안으로 평가할 때는 구별이 쉽지 않은 경우가 있다. 일반적으로 심부조직 욕창의 색깔은 짙은 자주색으로 검은색에 가까워 1단계 욕창의 자주색보다 훨씬 선명하고 어두운 색이다. 그러므로 심부조직 욕창의 초기는 '1단계 욕창'이나 '심부조직손상의심 욕창'(실제 의심되는 경우는 '의심'이라고 명명할 수 있음)으로 일시적으로 판단하고 관리할 수 있다. **A B G**

• 구별이 어려운 경우는 욕창의 진행과정을 관찰하기 위해 유성펜 등을 이용하여 피부의 검붉은 색 부분을 표시해 두면 **C G** 피부색이 정상으로 회복된 부분은 1단계 욕창이었고, **g-2 H** 여전히 검붉은 색 부분 **C G** 심부조직 욕창임을 알 수 있다. **C g-1**

• 점차 심부조직 욕창은 시간이 경과하면서 건강한 조직과 괴사조직의 경계가 분명해지면 미분류 욕창으로 분류하며, **D I** 그 후 괴사조직을 제거하고 상처기저부의 노출 정도에 따라 3단계 또는 4단계 욕창으로 분류한다. **E J**

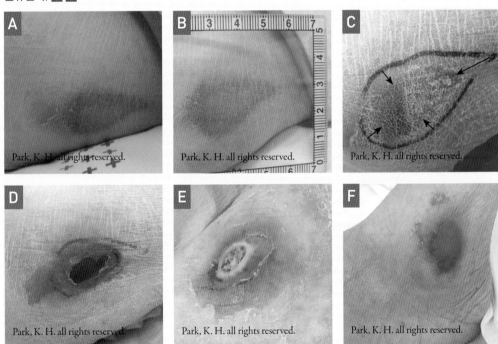

A. 외측 복사뼈에 발생한 홍반
B. 압박 시 1단계 욕창(비창백성 홍반) 또는 심부조직손상의심 욕창
C. 홍반 **A**의 가장자리 일부가 회복되었으나(➜) 여전히 중앙부위는 검붉은 모습
D. 괴사조직이 명확히 구분됨
E. 괴사조직 제거 후 상처기저부에서 육아조직이 자라고 있음
F. 상처치유가 완료됨

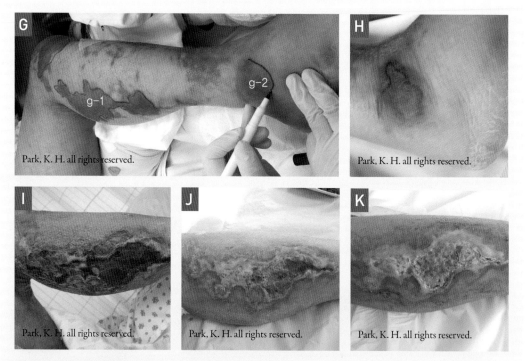

G. 심부조직손상의심 욕창

H. 외측 복사뼈 부위 `g-2` 의 자주색이 2주 후에 회복되어 1단계 욕창으로 판명됨

I. 장단지근(비복근) `g-1` 의 자주색이 2주 후에 회복되지 않고 괴사조직으로 되어 미분류 욕창으로 된 모습
   그러므로 `g-1` 은 심부조직 욕창이었음을 알 수 있음

J. 괴사조직 제거 후 3단계 욕창이 됨

K. 육아조직이 잘 자라고 있음

8

Point 심부조직 욕창과 2단계 욕창의 구별

• 심부조직 욕창은 2단계 욕창과도 혼동되기 쉽다. 심부조직 욕창도 수포가 있거나 **A** **B** 수포가 터져 진피가 노출되는 **C** 2단계 욕창의 전형적인 모습을 나타내기 때문에, 임상에서 육안으로 평가할 때는 구별이 쉽지 않다. 우선 2단계 욕창의 수포에는 장액성 삼출물이 차 있으나 **D** **E** 심부조직 욕창의 수포에는 혈액이 포함된 삼출물이 차 있는 경우가 흔하다. **B** 진피가 노출된 2단계 욕창은 분홍이나 붉은색의 진피 고유의 색을 상처기저부에서 볼 수 있으나 **F** 초기의 심부조직 욕창에서 노출된 진피는 심부조직의 손상으로 인한 출혈과 관련되어, 진피 고유의 색보다 더 붉고 진하게 보인다. **C**

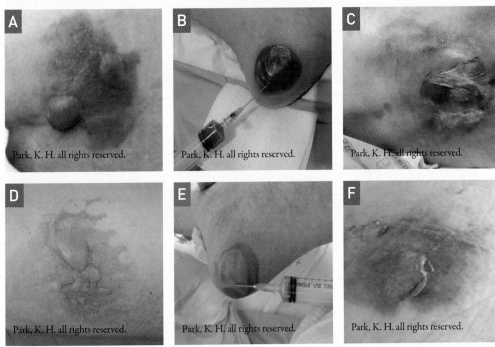

A. B. C. 심부조직 욕창
D. E. F. 2단계 욕창

Point 심부조직 욕창, 1단계, 2단계 욕창의 자연적인 변화와 치유 과정

심부조직 욕창의 자연적인 변화와 치유 과정

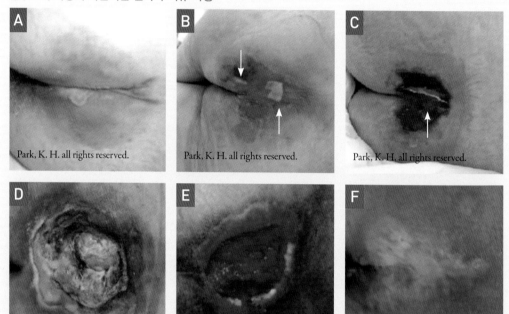

A. 온전한 피부의 자주/검붉은 피부색으로 보이는 모습으로 1단계의 붉게 발적된 비창백성 홍반 **G**과 색깔로 구별해야 하는 어려움이 있음

B. 점차 진행이 되면서 표피가 벗겨지고 진피가 보이는 모습(→)으로 2단계의 진피가 노출된 상태 **j-2**와 구별이 어려움. 심부조직 욕창은 진피가 보이더라도 이미 그 아래 조직도 괴사된 상태

C. 1단계 욕창은 압력을 제거하면 홍반이 회복이 되나 **G H I** 심부조직 욕창은 피부색이 회복이 안 되고 점점 어두운 색으로 되어 결국 피부가 괴사(→)되며 삼출물이 지속됨

D. 괴사된 조직을 제거하고 4단계 욕창이 된 모습

E. 육아조직이 채워지고 상처가 수축되면서 치유과정이 진행 중임

F. 상피화가 진행되어 흉터를 남기면서 상처가 완전히 치유됨

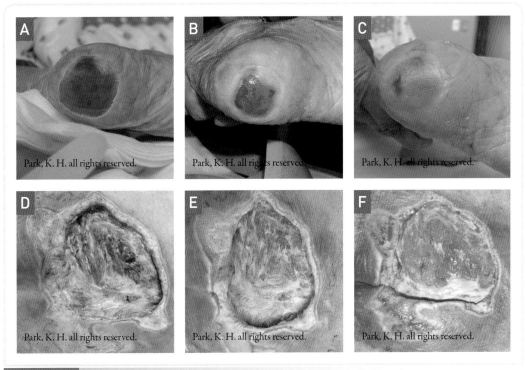

그림 8-30	**2단계 욕창** A. 진피가 노출되어 있는 발뒤꿈치 욕창 B. 욕창 치료 5일 후 상피화가 진행되고 있음 C. 욕창 치료 2주 후 상피화가 대부분 진행되면서 상처가 닫히고 있음 **4단계 욕창** D. 괴사조직이 있는 천골 욕창 E. 괴사조직이 사라지고 육아조직이 잘 자라고 있음(치료 7일 후) F. 육아조직이 거의 다 자람

8. 욕창의 예방과 치료

- 욕창의 발생은 의료기관의 질을 평가하는 데 매우 중요한 지표로, 대상자의 입원기간 연장 또는 기능회복의 지연을 초래한다. 또한 욕창 치료에 소요되는 비용이 욕창예방에 드는 비용의 약 50배에서 100배까지 이르므로 욕창예방에 초점을 둔 관리 전략이 필요하다.

1) 자세변경

- 욕창예방을 위해 지속적인 압박을 피하는 것이 가장 중요하다. 거동할 수 없는 대상자는 수시로 자세변경을 하는 것이 압박을 피하는 가장 쉽고 효과적인 방법이다.
- 대상자의 상태와 압력재분배 기구의 특성을 고려하여(p.265 Point 참조) 자세변경 빈도와 간격을 정하여 규칙적(예: 2~4시간마다)으로 자세를 변경한다.
- 혈액순환이 정상인 대상자가 같은 자세를 취할 수 있는 최대 허용시간은 일반적으로 2시간이라고 하지만 절대적인 것은 아니며, 여러 가지 위험 요소들을 종합적으로 판단해야 하고 침대의 사양에 따라 다를 수 있다.
- 완전 90° 측위보다는 쿠션과 베개를 이용하여 30° 이하 측위를 취함으로써 골반부위의 접촉면을 넓혀 압력을 재분배하고, 접촉부위 조직의 두께도 더 두꺼워서 압력을 흡수할 수 있다. 이때 아래쪽 다리는 엉덩이와 무릎의 높이에서 최소한으로 구부리고, 위쪽 다리 무릎은 35°, 엉덩이관절은 30°로 약간 구부린 상태를 유지하며 위의 다리가 아래의 다리보다 약간 뒤에 있는 자세를 취하도록 한다(그림 8-31).
- 대상자의 의학적인 상태가 허용되면 30° 이하 기울인 측위, 앙와위, 30° 이하 기울인 반대편 측위를 교대로 한다.

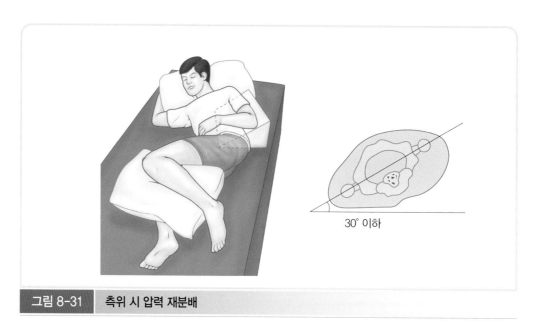

30° 이하

| 그림 8-31 | 측위 시 압력 재분배 |

8

- 침대에 똑바로 앉아있는 것은 제한한다(그림 8-32 A, B).
- 앉은 자세는 누워 있는 자세보다 작용하는 압력이 훨씬 크기 때문에 더 잦은 자세변경이 필요하다.
- 앉을 때는 상체를 뒤로 기댄 상태로 받침대를 이용하여 다리를 받치면, 접촉 면적이 가장 넓어 작용하는 압력의 크기도 가장 작아지므로 욕창이 생길 위험이 가장 적다(그림 8-32 C).
  - 의자가 뒤로 기울어지지 않는다면, 발을 지면에 댄 상태로 허리를 똑바로 세우고 앉는 것이 압력을 줄이는 자세이다(그림 8-32 D).
- 의자에 앉아있는 경우의 자세변경은 다음과 같다.
  - 대상자를 일으켜 세운 후 다시 앉히거나, 단순히 다리를 들어 올린다.
  - 대상자가 스스로 움직이지 못할 경우, 최소 1시간마다 자세변경을 실시해야 한다.
  - 대상자가 상체를 스스로 움직일 수 있는 경우, 의자에서 15분마다 팔을 이용하여 하체를 의자 표면으로부터 들어 올리거나 무게 중심이 이동될 수 있도록 자세를 변경한다.

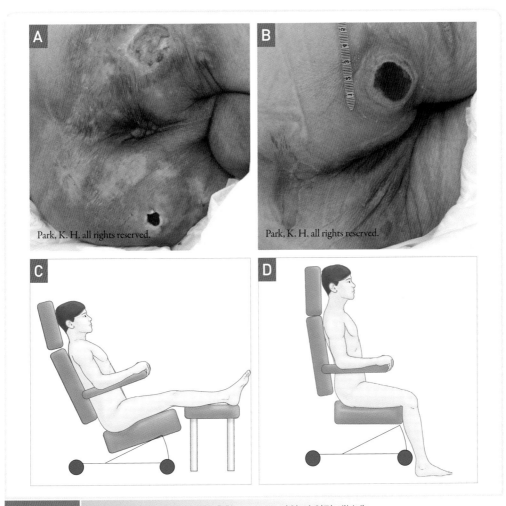

그림 8-32 　A, B. 좌위 시 좌골에 발생한 욕창　C, D. 좌위 시 압력 재분배

- 발뒤꿈치를 침대 표면으로부터 띄우기 위해 베개나 쿠션을 적용하는 경우, 종아리 아래 넓게 적용하여 발목의 아킬레스건에 압력이 집중되지 않도록 한다. 또한 발이 외전(external rotation)되어 복사뼈에 압력이 가해지면 욕창이 발생할 수 있으므로 족하수(foot drop) 예방을 위한 기구를 적용하여 발이 외전되지 않도록 한다(그림 8-33).

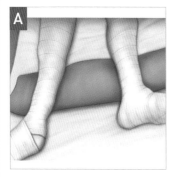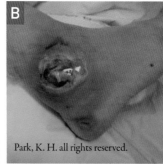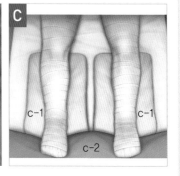

그림 8-33	**발뒤꿈치를 위한 지지면 적용** A. 지지면(베개)을 발목에 적용하여 아킬레스건에 압력이 가고 발이 외전됨 B. 발이 외전되어 외복사뼈가 압력을 받아 욕창이 발생한 모습 C. 종아리 전체에 넓게 지지면을 적용하여 압력을 분배하고(c-1), 발등을 앞쪽으로 굽혀(족배굴곡) 긴 베개를 적용한 모습(c-2)

- 무릎은 약간 구부려(5~10°) 오금정맥의 혈행이 방해되지 않도록 하여 혈전이 생성되는 것을 예방한다(그림 8-34).

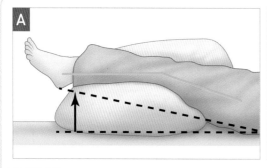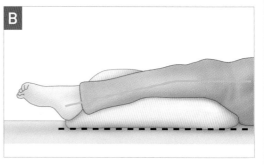

그림 8-34	**발뒤꿈치에 지지면 적용 시 발의 높이와 무릎 각도** A. 하지의 혈액순환이 좋은 경우 심장 높이로 올리기 B. 하지의 혈액순환이 좋지 않은 경우 심장 높이보다 낮게 내리기

● 압력재분배 매트리스나 겉깔개를 적용하였더라도 자세변경은 계속 시행한다(그림 8-35).

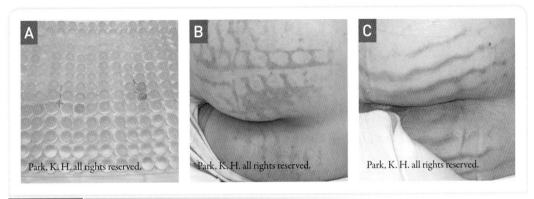

그림 8-35	**지지면을 적용하였으나 자세변경을 할 수 없어 발생한 욕창** A. 압력재분배 패드 B. 수술 중 자세변경이 불가능해 A 형태의 패드를 적용한 후 발생한 1단계 욕창 C. 1단계 욕창(B) 발생 후 2주 경과한 모습

2) 압력 재분배

압력 재분배 개념

- 지지면은 욕창발생 예방 관점에서 '32mmHg'라는 모세혈관 폐색압력 수치를 이용해 '제압(pressure relief)'과 '감압(pressure reduction)'으로 나눈다.
  - 제압이 가능한 지지면은 '어떤 자세에 있어서도' '어떤 신체부위에 있어서도' 몸에 가해지는 압력을 32mmHg 미만으로 관리할 수 있는 것이다. 감압이 가능한 지지면은 항상 32mmHg 미만으로 관리할 수 있는 기능은 없지만, 표준 지지면과 비교하면 몸에 가해지는 압력을 낮게 관리할 수 있는 것이다. 그러나 어떤 지지면도 중력이 작용하는 지구상에서는 체중에 의한 압력을 제압 혹은 감압할 수 있다는 근거는 없으므로, '압력 재분배(pressure redistribution)'이라는 용어를 사용하고 있다.
- 뼈 돌출부위에 가해지는 압력을 줄이려면, 체압을 제압 또는 감압하기보다는 지지면과 뼈 돌출부위와 닿는 면적을 넓혀 체압을 재분배해야 한다.
  - 체압=체중/신체에 닿는 면적

압력 재분배 기능

- 압력 재분배란 지지면의 세 가지 기능에 의해 신체 접촉면에 가해지는 압력을 분배하여, 한 부위에 가해지는 압력을 낮추는 것이다(그림 8-36).
  - 가라앉기(immersion)
  뼈 돌출부위를 지지면에 가라앉히는 기능이다. 이것에 의해, 특정한 뼈 돌출부위에 집중하고 있던 압력을, 주변 조직이나 다른 뼈 돌출부위로 분배한다. 지지면의 가라앉음이 클수록 접촉 면적이 커져서, 평균압력은 낮아진다. 이 기능은 지지면 소재의 압축 특성과 두께에 따라 다르다.
  - 에워싸기(envelopment)
  뼈 돌출부 등 신체의 굴곡진 부위에 대해 지지면이 변형하는 기능이다. 지지면을 변형시켜 신체를 감쌈으로써 지지면의 접촉 면적을 크게 하여 압력을 분배한다. 지지면 소재가 물이나 공기 등의 유동체라면 변형 능력은 우수하다.
  - 시간경과에 따라 신체와 지지면의 접촉면 변화
  신체와 지지면의 접촉면이 시간에 따라 변화하는 개념이다. 특정 부위에의 압력이 지속되는 시간을 단축시킴으로써 욕창발생 위험을 줄일 수 있다. 구체적으로는, 압력전환형인 동적(능동적) 지지면(p.266 Point 참조)의 셀 팽창과 수축을 반복함으로써, 신체와 지지면의 접촉 부분이 주기적으로 변화하도록 한다.

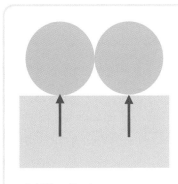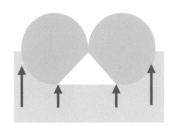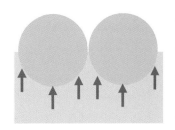

가라앉는 기능과
에워싸는 기능 모두 없음

가라앉는 기능은 문제없지만,
에워싸는 기능이 없어 신체 굴곡
에 대한 변형기능은 불충분함

가라앉는 기능과
에워싸는 기능 모두 있음

지지면의 접촉 면적이 작고 접촉
부분에 압력이 집중되어 있음

충분한 접촉 면적을 얻을 수 없어
특정부위에 압력이 높아질 수 있음

신체의 굴곡진 부위가 적당히
가라앉고 에워싸진 상태. 접촉
면적이 넓어져 압력이 분배되어
접촉 압력이 낮아짐

| 그림 8-36 | 압력 재분배 기능 |

(1) 지지면(support surface) 이용

- 지지면(p.265 Point 참조)은 압력 재분배, 전단력 감소, 미세피부환경(microclimate) 조절을 목적으로 사용하는 매트리스(mattress), 매트리스 겉깔개(mattress overlay), 쿠션, 베개 등을 말한다.
  - 미세피부환경: 체표면과 지지면의 접촉면에서 발생하는 국소적인 조직의 온도와 습기 정도
- 지지면은 신체에 대해 적당히 가라앉거나(immersion) 신체를 에워싸서(envelopment) 지지하는 순응성을 높여 신체가 지지면과 닿는 접촉면을 넓힘으로써, 한 부위(예: 뼈 돌출부위)에 집중하는 압력을 줄여 체압을 재분배한다(그림 8-37 A).
- 침상머리가 올라갈수록 접촉면은 좁아지므로 압력이 증가하여 욕창이 발생할 가능성은 더 커진다.
- 쿠션을 종아리 아래에 대어 발뒤꿈치가 침대에 닿지 않도록 한다(그림 8-37 B).

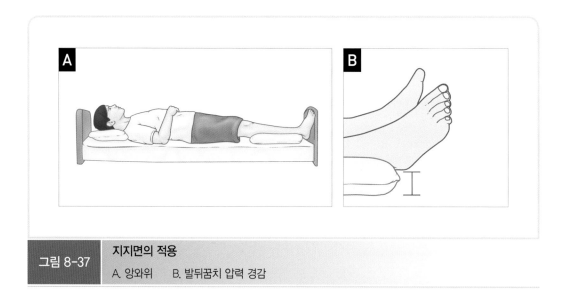

그림 8-37	지지면의 적용
	A. 앙와위 B. 발뒤꿈치 압력 경감

- 링(도넛 모양) 쿠션을 사용하는 경우, 링을 적용한 주위조직에 압력이 집중적으로 증가되므로 사용하지 않는다(그림 8-38).

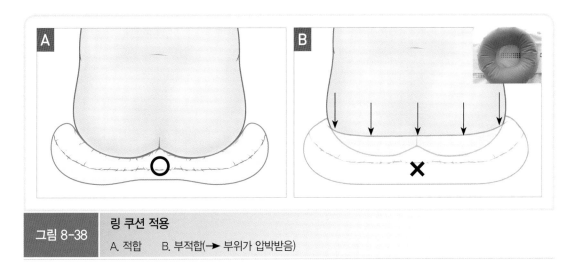

그림 8-38	링 쿠션 적용
	A. 적합 B. 부적합(→ 부위가 압박받음)

- 모든 지지면의 적합성을 평가하기 위해 대상자의 체중에 눌린 지지면이나 공기압의 두께를 평가한다.
  - 지지면이나 공기압의 두께 적합성 평가: 손바닥을 위로 향한 상태에서 침상 매트리스, 매트리스 겉깔개, 쿠션 밑에 손을 넣는다. 이때 뼈 돌출부위와 손바닥 사이의 지지면의 두께가 1인치 이상이어야 하며, 미만인 경우(bottoming out)는 압력을 감소시키지 못하므로 부적합하다고 볼 수 있다. 실제 1인치를 측정하기 어려우므로 손가락을 한두 마디 구부려 평가하기도 한다(그림 8-39).

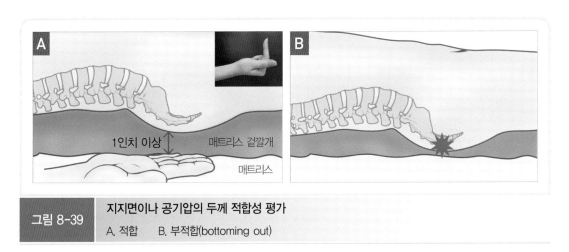

그림 8-39	지지면이나 공기압의 두께 적합성 평가
	A. 적합 B. 부적합(bottoming out)

- 욕창 발생 고위험군이나 욕창이 있는 경우 기존에 사용하던 지지면보다 압력 재분배, 전단력 감소, 미세피부환경 조절능력이 더 우수한 높은 사양의 지지면으로 교체한다.

(2) 압력재분배 매트리스를 깔거나 일반 매트리스 위에 겉깔개를 적용(p.265 Point)

- 일반 매트리스는 적어도 2시간마다 자세변경을 시행하고, 압력재분배 매트리스를 사용하는 경우는 적어도 2~4시간마다 등 다양하므로 제품의 지침에 따라 자세변경을 한다.

Point 침대 지지면 종류

정적(static) 또는 반동성(reactive) 침대 지지면

- 재질: 폼(foam), 공기, 물, 젤
- 다양한 재질로 된 제품이 있으며, 유지가 수월하고 청결하게 관리할 수 있는 장점이 있으나 피부의 습도 관리가 힘든 단점이 있다. 이 중에서 폼 재질이 가볍고 유지 비용이 들지 않아 가장 오래 널리 사용되고 있지만, 열이나 습기의 배출이 어렵고, 세척이 곤란하다. 최근에는 이러한 점을 보완하여 미세피부환경이 조절되며 세척이 가능한 점탄성폼(viscoelastic foam) 제품도 출시되고 있다.

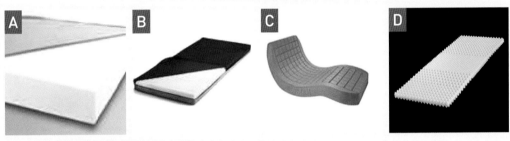

일반폼 매트리스 **A**와 겉깔개 **B**   고밀도 점탄성폼 매트리스 **C**와 겉깔개 **D**

동적(dynamic) 또는 능동적(active) 침대 지지면

- 재질: 공기
- 전기로 작동하며, 지지면의 셀이 일정한 시간 간격으로 팽창과 수축하여 지지하는 부위를 변경함으로써 압력을 재분배한다. 여러 부위에 욕창이 있거나 자세를 변경하더라도 피할 수 없이 욕창부위에 압력이 가해지는 등, 정적 지지면으로는 욕창을 치료하기 어려울 때 사용한다.

- **교대형 공기주입(alternating air-filled) 매트리스/겉깔개 E**

매트리스 자체보다는 겉깔개의 형태가 많다. 여러 개의 셀로 구성되어 각각의 셀에 일정시간 간격으로 공기 주입과 배출을 반복하여 한 곳이 오랜 시간 동안 압력이 받지 않도록 압력이 가해지는 부위를 끊임없이 변경한다. 가장 많이 사용하고 있는 매트리스 겉깔개(→)의 형태로 가격이 저렴하고 혈류순환을 자극할 수 있는 장점이 있으나 습도 조절이 어렵고 압력을 재분배하는 효과는 크지 않다.

• **공기 저손실형(low-air-loss) 침대 F /겉깔개 G**

공기 손실(air loss) 기능이란 피부 온도와 습윤한 침상 내 환경을 유지하기 위해 지지면에 공기의 흐름을 공급하는 것으로, 전기펌프를 이용하여 지지면에 일정한 공기압을 유지한다. 피부 주위로 공기의 움직임이 가능하여 습도 조절이 되고 압력 재분배가 가능하며 마찰력, 전단력 등으로부터 보호할 수 있다는 장점이 있지만 찢어질 위험과 소음이 있다.

• **공기 유동형(air-fluidized) 침대 H**

공기 유동(air-fluidized) 기능이란 전원을 넣으면, 공기 유동형 입자로 채워진 특수 침대 매트리스 내로 공기가 흐르고, 그것에 의해 입자가 움직여 쿠션감과 에워싸는 기능을 한다. 침대 매트리스 표면이 수분 투과가 가능하므로, 화상이나 피부이식수술 대상자, 상처배액이 많은 대상자에게 특히 유용하다. 압력을 낮추고 습도를 조절하지만, 대상자에게 탈수가 일어나거나 상처가 건조해질 수 있으며, 침대가 높고 무거워 대상자가 스스로 침대로 들어가고 나가거나 자세를 변경하기가 어려운 점이 있다.

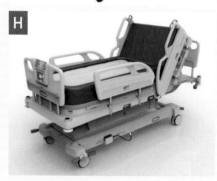

*그림 출처: https://www.google.co.kr/imghp?hl=ko

압력재분배 지지면 특성 비교

종류	정적 지지면		동적 지지면		
	공기 또는 물 재질	폼 또는 젤 재질	교대형 공기주입 매트리스	공기 저손실형 침대	공기 유동형 침대
지지면적 증가	예	예	예	예	예
습기 보유 적음	아니오	아니오	아니오	예	예
발열 감소	아니오	아니오	아니오	예	예
전단력 감소	예	아니오	예	모름	예
압력 재분배	예	예	예	예	예
동적 기기	아니오	아니오	예	예	예
비용	저가	저가	중가	고가	고가

3) 전단력 최소화

- 전단력은 압력과 마찰력이 결합한 힘으로 침상머리를 상체로 올린 경우 주로 발생한다. 이때 중력에 의해 신체가 미끄러지면서 뼈와 근육이 피부 안으로 밀려들어 가고 피부가 찢어져 잠식이 발생한다(그림 8-40 A, B).
- 침상머리를 올릴 경우에 전단력을 줄이기 위해 머리와 다리 쪽을 각각 30° 이하로 올린다(그림 8-40 C).

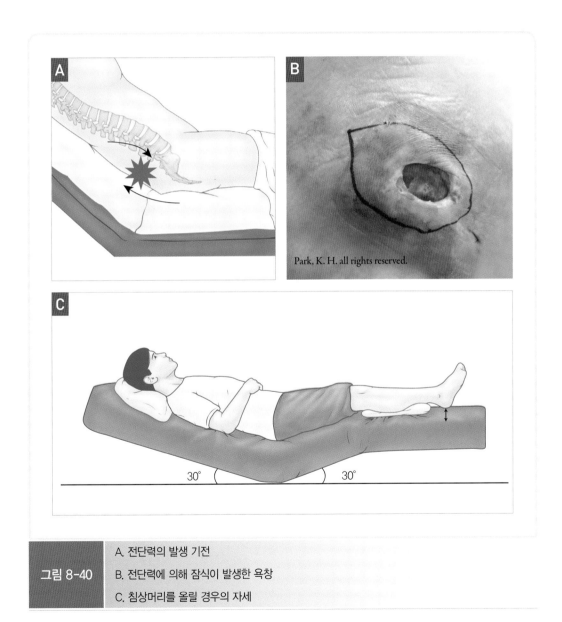

그림 8-40	A. 전단력의 발생 기전
	B. 전단력에 의해 잠식이 발생한 욕창
	C. 침상머리를 올릴 경우의 자세

- 올린 침상머리에서 상체가 자꾸 미끄러져 내려오면, 머리 위에 손잡이를 매달아 대상자가 잡고 스스로 침상에서 움직일 수 있도록 한다.
- 대상자 이동이나 자세변경을 실시할 때 대상자를 잡아당기거나 끌지 않는다. 시트 또는 보조기구를 이용하여 대상자를 들어 올린다(그림 8-41).

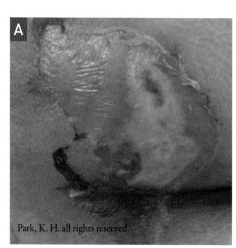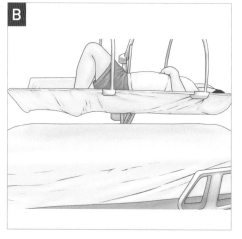

| 그림 8-41 | A. 침상머리가 상승된 상태에서 미끄러져 내려오면서 발생한 욕창
B. 침대 시트를 교환하기 위해 대상자를 들어 올린 모습 |

- 식사 또는 경관 식이 제공 시는 보통 상체가 올라간 자세를 취하므로 1시간 후에는 침상 머리를 낮춘다.
- 불가피하게 1시간 이상 또는 30° 이상 상체를 올려야 하는 경우에는 미골이나 천골 부위를 자주 평가해야 한다(그림 8-42).
- 뼈 돌출부위에 과도한 마사지를 하지 않는다.
- 전단력은 습한 피부에서 더 증가되므로, 실금 시마다 피부를 깨끗이 닦고 건조한다.

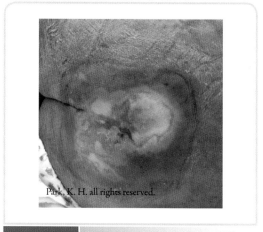

| 그림 8-42 | 경관 유동식 주입으로 주로 좌위를 취하면서 미골 부위에 발생한 욕창 |

4) 실금관리

- 실금으로 인한 습기는 욕창 발생의 직접원인은 아니지만 욕창 발생을 촉진하거나 악화시키는 요인으로 실금관리를 통한 습기관리가 중요하다.

(1) 습기 노출 최소화

- 실금으로 인해 생긴 습기가 피부를 짓무르게 하지 않도록 기저귀나 속옷 선택 시 흡수력이 좋은 제품을 선택한다(그림 8-43).

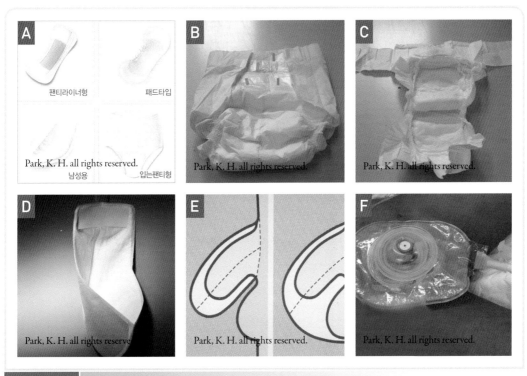

그림 8-43 A. 요실금 패드   B, C. 실금용 기저귀   D, E. 남성용 요실금 패드
F. 상처배액주머니를 요수집주머니로 활용한 모습

- 성인용 실금 기저귀 중에는 방수 기능만 있고, 흡수력이 떨어지는 제품이 있어 피부를 짓무르게 하거나 욕창을 악화시킬 수 있다. 그러므로 기저귀로 회음부와 둔부를 전부 감싸는 것을 가능한 하지 않고 흡수성이 좋은 패드를 적용하거나 회음부와 둔부 아래에 깔아놓는다(그림 8-44 A).
- 젖은 기저귀는 차고 단단해져서 피부의 온도를 떨어뜨려 혈액순환을 방해하며, 단단해진 기저귀 부위는 압력으로 작용할 수 있으므로 기저귀가 젖은 경우 바로 교환한다(그림 8-44 B).

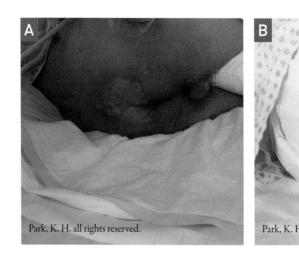
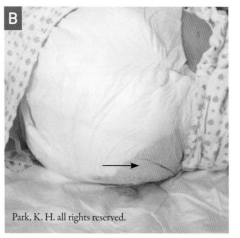

| 그림 8-44 | A. 기저귀를 착용하지 않고 흡수패드를 깔아놓기 |
| | B. 젖은 부위가 단단해진 모습(➡) |

8

- 대변으로 인해 피부가 자극받지 않도록, 필요시 변실금 관리기구(p.275 Point 참조)를 사용한다 (그림 8-45 A, B).
- 소변으로 인해 욕창부위가 오염될 가능성이 있는 경우, 짧은 기간 동안 유치도뇨관을 삽입할 수 있다(그림 8-45 C, D).

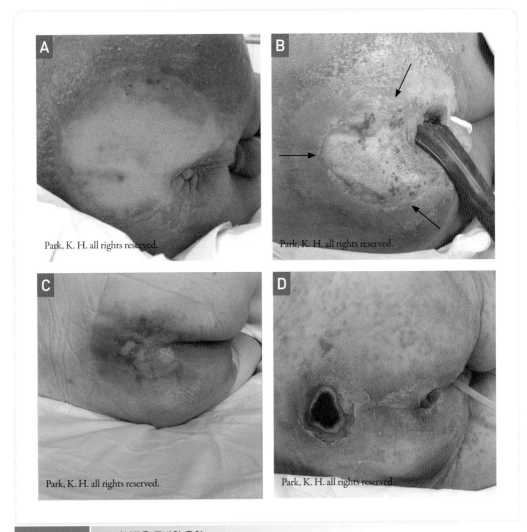

그림 8-45	A. 변실금을 동반한 욕창
	B. 변실금 관리기구 삽입 후 욕창 치유가 되고 있음(➜)
	C. 요실금을 동반한 욕창으로 둔부 밑 흡수패드가 소변으로 젖어 있음
	D. 요실금을 동반한 욕창으로 둔부에 피부염도 발생하여 유치도뇨관을 삽입한 모습

- 실금과 같은 습기는 피부손상을 쉽게 일으키므로 이미 욕창이 있는 경우는(그림 8-46 A) 더 악화시킨다(그림 8-46 B).
- 실금 등으로 인한 습기관련 피부손상(moisture associated skin damages, MASD) (p.236 Point 참조)이 발생 후(그림 8-46 C), 압력·전단력이 작용하여 피부손상이 일어난 경우는 욕창으로 간주한다(그림 8-46 D).
- 욕창의 직접적인 원인이 압력과 전단력이고, 습기로 인한 피부손상(MASD)의 원인은 실금 등과 같은 습기로 각각 다르므로 원인에 따른 관리의 차이점과 특성을 구분해야 한다(표 8-2).

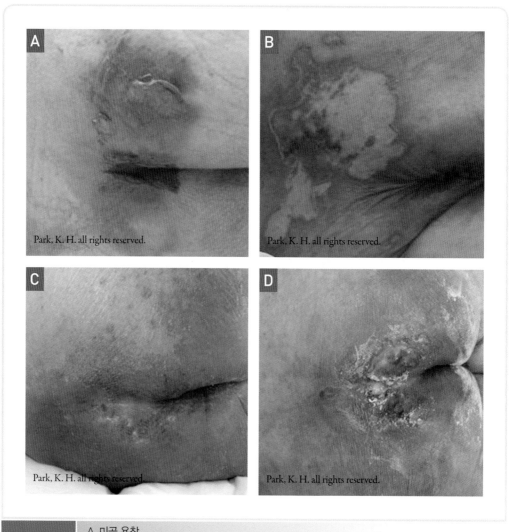

그림 8-46	A. 미골 욕창
	B. 욕창(C)이 실변으로 인해 악화된 모습
	C. 습기관련 피부손상
	D. 습기관련 피부손상(C)이 있는 상태에서 욕창이 발생한 모습

표 8-2	욕창과 습기(실금)관련 피부손상을 구별할 수 있는 특성		
특성	욕창	습기(실금)관련 피부손상	구별할 수 있는 특성
조직손상 기전	상부에서 하부 또는 하부에서 상부로 발생	상부에서 하부로 발생 하부에서 상부로 발생하지는 않음	○
발생부위	뼈 돌출부위	피부 접합부위 뼈 돌출부위에는 거의 발생하지 않음	○
피부	밝거나 짙은 붉은색, 푸른색, 자주색	붉거나 밝은 붉은색 피부는 부풀어 오르고 부종이 있고 짓무르거나 벗겨져 있음	○
상처의 위치	바로 항문주위에 피부손상은 없음	바로 항문주위에 대칭적 피부손상이 있음	○
상처의 경계	분명함	퍼져 있어 불분명함	○
상처의 깊이	부분층 또는 전층 피부손상 깊이가 있는 삼차원 상처 얕거나 깊은 조직손상	부분층 피부손상 깊이가 없는 이차원 상처 얕은 조직손상	○
상처의 괴사조직	있거나 없음	없음	○
상처의 크기	한 개의 드레싱으로 덮기 쉬움	넓게 퍼져 있는 경향이 있어 드레싱으로 덮기 어려움	○
상처의 증상	통증과 가려움증	통증과 가려움증	X
대상자 특성	요실금이나 변실금이 있거나 없음	요실금이나 변실금이 있음	△

실변으로 인한 피부손상이 악화되면서 나타나는 증상

A, B. 홍반, 발진, 수포, 통증, 가려움증이 나타남   C, D. 미란(erosion)과 표피박탈이 일어남

E, F. 개방된 피부를 통해 이차감염이 되어 반구진 발진(maculopapular rash), 위성농포(satellite pustule) 등이 나타남

- 실금이 있거나 부종이 있는 경우, 회음부와 서혜부 주위의 피부는 습기로 인한 피부손상이 빈발
  하여 욕창으로 진행되기 쉬우므로 세심한 관리가 필요하다.
  - 특히 피부가 잘 접히는 서혜부 사이가 짓무른 경우(그림 8-47 A, B), 피부보호제(연고·파우더 등)
    를 가볍게 뿌리거나 바르고(그림 8-47 D, E), 골이 진 부분에 부착이 잘되면서 삼출물을 흡수할
    수 있는 드레싱제(그림 8-47 C, D)를 적용한다.
  - 삼출물이 많을 때는 추가적으로 흡수성 면 패드 등을 끼워 넣는다(그림 8-47 F). 이때는 기저귀
    로 회음부를 감싸지 말고 흡수성 패드 등을 회음부 아래에 깔아 놓는다(그림 8-44 A 참조).

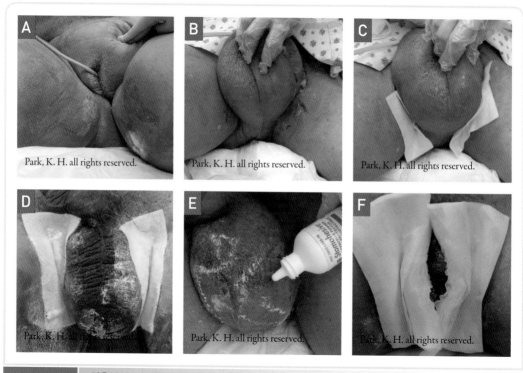

그림 8-47	**회음부와 서혜부 주위의 피부손상** A, B. 짓무른 서혜부　　C. 흡수성 드레싱제(하이드로화이버) 적용 D. 피부보호제(연고)와 흡수성 드레싱제(하이드로화이버) 적용 E. 피부보호제(파우더) 적용　　F. 흡수성 패드 적용

Point 변실금 관리기구

• **기구**

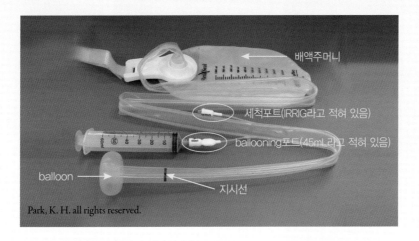

배액주머니

세척포트(IRRIG라고 적혀 있음)

ballooning포트(45mL라고 적혀 있음)

balloon

지시선

• **적응증**
  - 액체 또는 반액체 상태의 묽은 변인 경우

• **금기증**
  - 고형 변인 경우
  - 직장 점막손상이 있거나 의심되는 경우
  - 지난 1년 안에 직장수술을 받은 경우
  - 치질이 심한 경우
  - 직장이나 항문수축 또는 협착이 있는 경우
  - 직장에 통증이나 출혈이 있는 경우
  - 복부 팽창이 있는 경우

기구를 직장에 삽입한 모습

• **주의점**
  - 고형이나 부드럽게 뭉쳐진 변은 직장 내에 위치한 카테터 내강의 입구를 막게 되므로 고형 변을 부드럽게 하기 위해 세척포트를 통해 물을 주입하고, 계속 변이 고형 상태면 기구를 제거한다.
  - 항문 괄약근이 긴장하거나 경련이 일어나면, 항문 치상선에 걸쳐 있던 카테터의 ballooning 부분이 항문 안으로 밀려들어 가서 변이 누수될 수 있으므로 카테터의 ballooning 부분을 살짝 당겨 카테터의 지시선이 항문 밖으로 나도록 한다. **G**
  - 삽입된 카테터 주변으로 어느 정도의 변이 샐 수 있으며, 이런 경우는 누수되는 항문주위로 거즈 등을 부드럽게 감싸 놓으면 피부의 오염을 줄일 수 있다.
  - 항문 입구를 통과하는 카테터의 내강은 조여진 항문에 의해 납작해지기 쉬워 변이 누수되는 원인이 될 수 있으므로, 내강이 납작해지지 않도록 수시로 점검한다. **H**
  - 카테터의 내강이 환자의 몸에 의해 눌러지면 배변배출이 원활하지 않을 수 있으므로 내강을 펴주고 지속적으로 배출이 잘되는지 관찰한다.

• 삽입절차

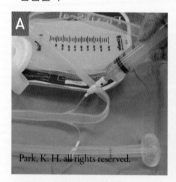

주사기에 45mL 공기를 담아 balloon이 안전한지 점검한 후 카테터에 들어 있는 모든 공기는 제거하기

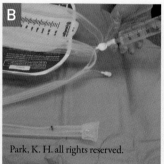

준비한 용액(미지근한 수돗물, 증류수, 생리식염수) 45mL가 담긴 주사기를 ballooning포트에 끼우기

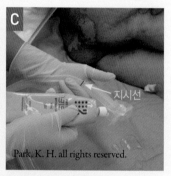
지시선

대상자를 옆으로 눕히고 장갑을 끼고 카테터의 손가락 끼우는 구멍(*지시선: 검정색 indicator)에 손가락을 넣어 카테터를 잡은 후, balloon에 윤활제를 바른다.

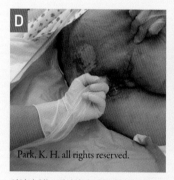

의식이 있는 대상자의 경우, 항문이 이완되도록 '아'라고 말하도록 하면서 카테터를 항문 안으로 부드럽게 밀어 넣기

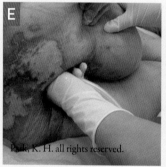

카테터 balloon의 끝부분이 항문의 치상선(dentate line)보다 위쪽에 위치시켜 카테터를 직장 내에 안전하게 삽입하기

주사기에 준비된 45mL 용액을 ballooning 포트를 통해 서서히 주입하기(이때 카테터 끝을 잡았던 손가락은 항문 내에 그대로 위치하는 것이 안전함)

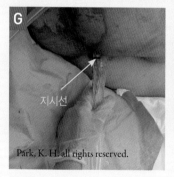
지시선

용액을 다 주입하고 나면 카테터를 잡았던 손가락을 빼고, 카테터의 지시선이 항문 밖으로 보이도록 살짝 잡아당기기

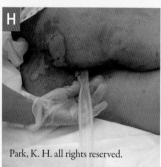

변 배출이 잘되도록 카테터 내강을 펴주기

카테터를 배액주머니에 연결한 후 침상가에 기구 매달기

(2) 오염된 피부는 즉시 세척

- 피부 세척 시 피부에 추가적인 손상을 유발할 수 있는 행위(예: 강한 마찰이나 문지르기 등)는 피한다.
- 비누와 같은 강한 음이온 계면활성제(anionic surfactants)를 사용하면 피부의 산도가 상승하고 피부의 정상적인 유분까지 제거되어 피부가 건조해지므로, 산 균형이 맞춰진(pH-balanced) 부드러운 피부세척제(skin cleanser)를 사용하는 것이 피부에 덜 자극적이다(그림 8-48).

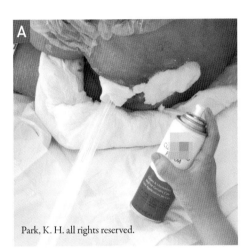
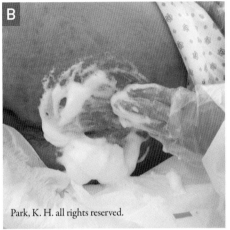

그림 8-48 A. 피부세척제를 분사하는 모습   B. 피부세척제로 원형을 그리면서 피부를 부드럽게 닦기

(3) 피부 보습 유지

- 실금 대상자의 회음부 피부는 습기가 많지만, 실금으로 손상된 피부는 정상적인 유분이 결핍되어 오히려 건조하다(그림 8-49 A, B).
- 피부 세척 후에는 피부에 유분을 공급하는 피부보습제(skin moisturizer)를 바르고(그림 8-49 C), 보습된 상태가 유지되도록 피부보호제(skin protectant)를 추가로 적용한다(그림 8-49 D).

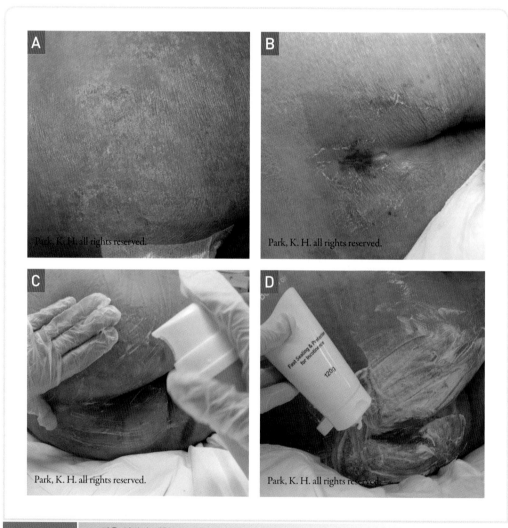

| 그림 8-49 | A. 잦은 실변과 세척으로 피부가 심하게 건조한 상태 B. 지나친 건조로 출혈이 일어난 모습
C. 피부보습제를 적용하는 모습 D. 피부보호제를 적용하는 모습 |

(4) 대소변에 의한 오염 차단

● 피부를 습윤한 상태로 유지하며 오염을 방지하기 위해 크림·연고·필름 재질의 피부보호제(skin protectant)를 충분히 사용한다(그림 8-50).

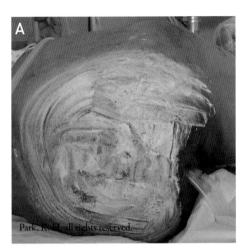
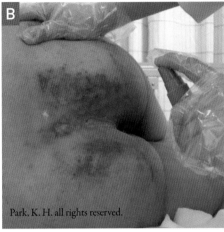

그림 8-50	피부보호제를 적용하는 모습
	A. 크림 형태　　B. 필름 형태

- 실변을 동반한 욕창이 있는 경우는 욕창 드레싱 후 피부보호제를 바른다. 실변이 심한 경우는 실변 조절 기구를 먼저 삽입(그림 8-51 B)하고 욕창 드레싱(그림 8-51 C)과 피부보호제(그림 8-51 D)를 순차적으로 적용하면 효과적으로 관리할 수 있다(그림 8-51).

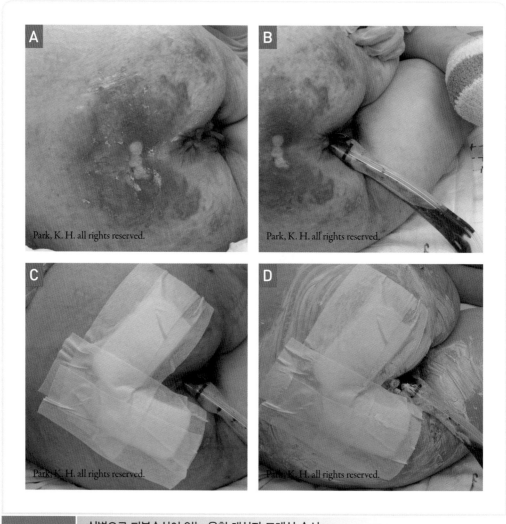

그림 8-51	실변으로 피부손상이 있는 욕창 대상자 드레싱 순서
	A. 실변으로 악화된 천골 욕창 B. 변실금 관리기구 삽입
	C. 욕창 드레싱 D. 피부보호제 적용

Point

• 실금 피부관리 순서는 피부 세척하기, 피부 보습하기, 피부 보호하기 순으로 세척제나 보습제 또는 보호 제에 각각의 기능이 추가된 2-in-1 제품들이 많아 쉽게 적용할 수 있다(7장 참조).

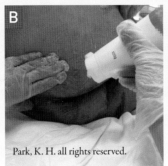
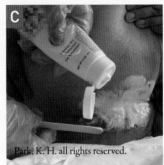

A. 피부 세척하기
B. 피부 보습하기
C. 피부 보호하기

5) 영양부족 교정

• 특별한 영양공급이 욕창 발생 위험을 감소시킨다는 근거는 미흡하지만, 대상자 개별상태와 선호 도에 따라 적절한 영양을 제공한다.

• 욕창 발생 위험이 있거나 욕창이 있는 영양결핍 위험 성인에게 체중의 30~35kcal/kg/day 열량과 1.25~1.5g/kg/day 단백질을 제공한다.

• 3, 4단계나 여러 개의 욕창이 있는 성인의 영양 요구량이 기존의 열량과 단백질 보충으로 충족 되지 않는다면 미세영양소와 아르기닌, 고단백질을 보충한다(표 8-3).

표 8-3	영양결핍의 위험성		
대상자 특성	경증 위험	중등도 위험	고위험
연령	18~65세	18세 미만 혹은 65세 이상	중등도 위험과 동일한 연령
체중	6개월 이내 5% 미만 감소	1~6개월 이내 5~10% 감소	중등도 위험과 동일한 체중 감소
섭취량	경구섭취 감소	만성적인 섭취불량 또는 5일 이상의 금식	중등도 위험과 동일한 섭취상태
Albumin	2.8~3.5g/dL	2.1~2.7g/dL	2.1g/dL
Total lymphocyte count	1,500~1,800mm^3	900~1,500mm^3	900mm^3
Transferin	150~200mg/dL	100~150mg/dL	100mg/dL
Pre-albumin	12~15mg/dL	7~12mg/dL	7mg/dL

6) 대상자 및 돌봄제공자 교육

- 욕창 발생의 원인과 위험요인 및 위험요인을 감소할 수 있는 방법에 대하여 교육한다.
- 다음 내용의 중요성을 인식시킨다.
  - 뼈 돌출부위를 정기적으로 관찰한다.
  - 올바른 피부 간호방법을 따른다.
  - 압력과 전단력을 줄이기 위한 방법을 사용한다.
  - 뼈 돌출부위와 홍반 부위에 마사지는 피한다.
  - 침상·의자에서 생활할 경우, 자세변경을 규칙적으로 실시하고 적절한 압력재분배 기구를 사용한다.
  - 링(도넛 모양) 쿠션을 사용하지 않는다.
  - 올바른 영양을 섭취하며 체중 감소·식욕 저하·위장관 장애 증상을 살펴본다.
  - 건강상태, 영양상태가 변할 경우 즉시 의료진에게 연락한다.

욕창관리
알고리즘

실제 임상에서 쉽고 간단하게 적용할 수 있는
욕창 예방과 치료의 알고리즘을 소개한다.

Algorithm 1   욕창과 실금관련피부염의 관리

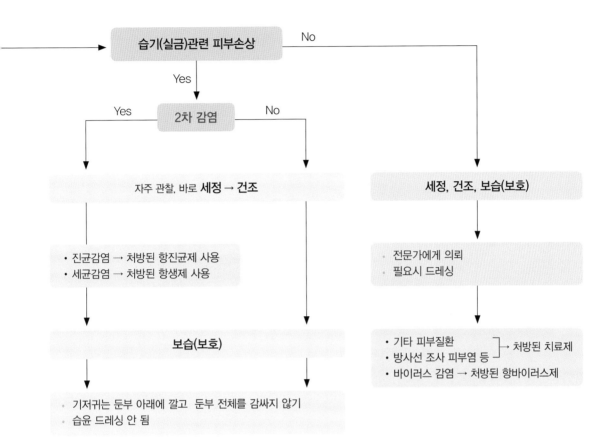

욕창 예방간호

A 자세변경, 압력 재분배(지지면 적용)
B 피부간호: 청결, 보습(보호),
　　지나친 습기방지(기저귀 적용 주의)
C 드레싱 또는 그 외 상처관리

습기관련 피부손상 예방간호
- 자주 관찰, 바로 세정
- 건조, 보습(보호), 기저귀 적용 주의

Algorithm 2 욕창예방

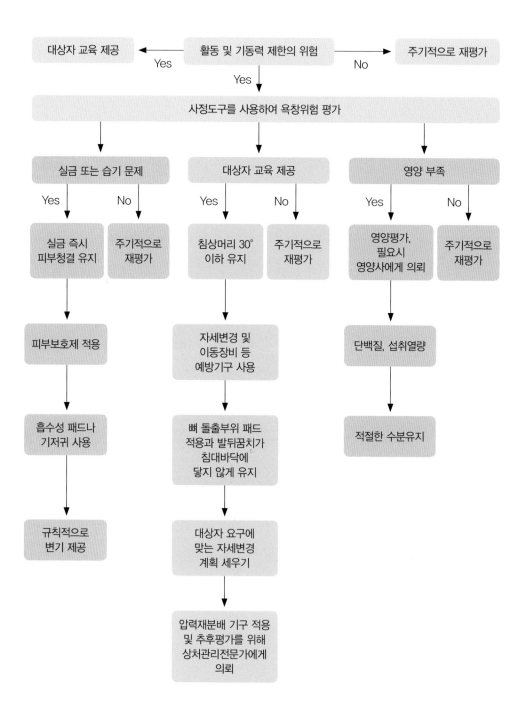

Algorithm 3 욕창치료 계획

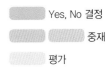

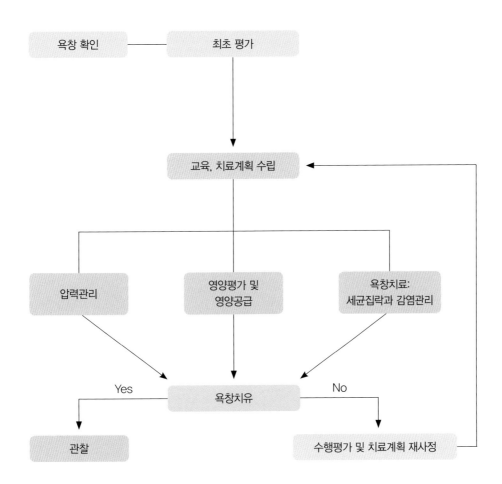

Algorithm 4 **압력관리**

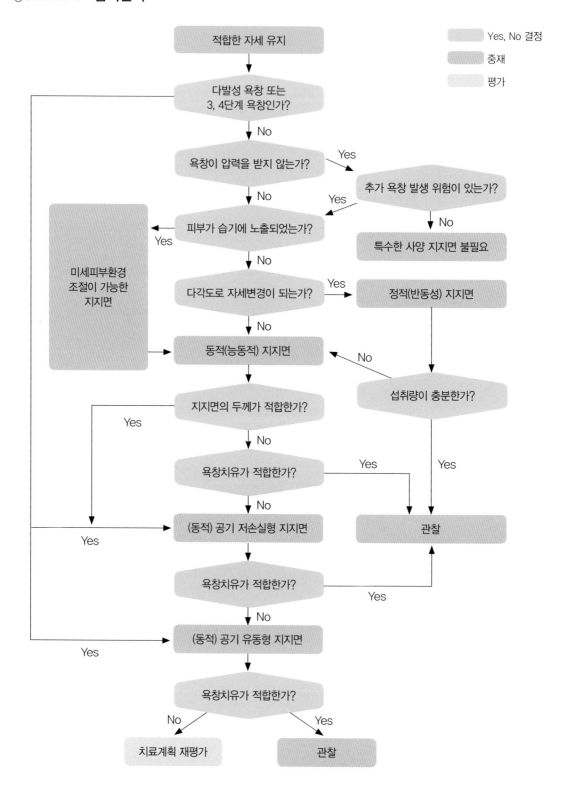

Algorithm 5 영양 평가와 공급

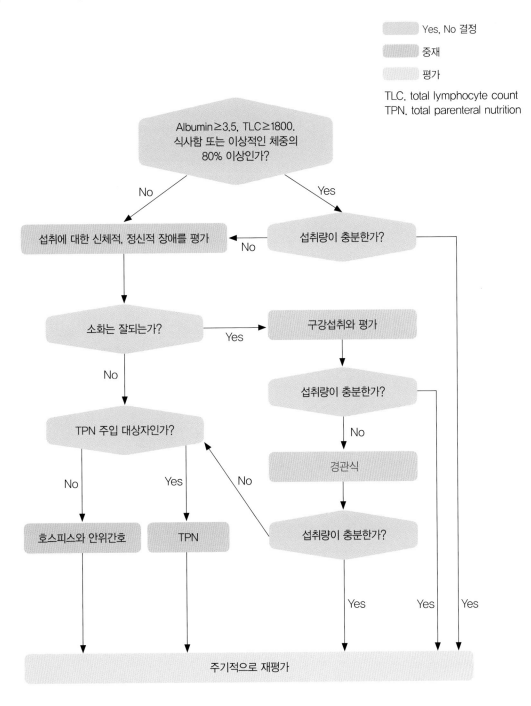

Yes, No 결정
중재
평가

TLC. total lymphocyte count
TPN. total parenteral nutrition

Albumin≥3.5, TLC≥1800,
식사함 또는 이상적인 체중의
80% 이상인가?

No

Yes

섭취에 대한 신체적, 정신적 장애를 평가

No

섭취량이 충분한가?

소화는 잘되는가?

Yes

구강섭취와 평가

No

섭취량이 충분한가?

TPN 주입 대상자인가?

No

No

경관식

Yes

섭취량이 충분한가?

호스피스와 안위간호

TPN

Yes

Yes

Yes

주기적으로 재평가

Algorithm 6 국소 욕창치료

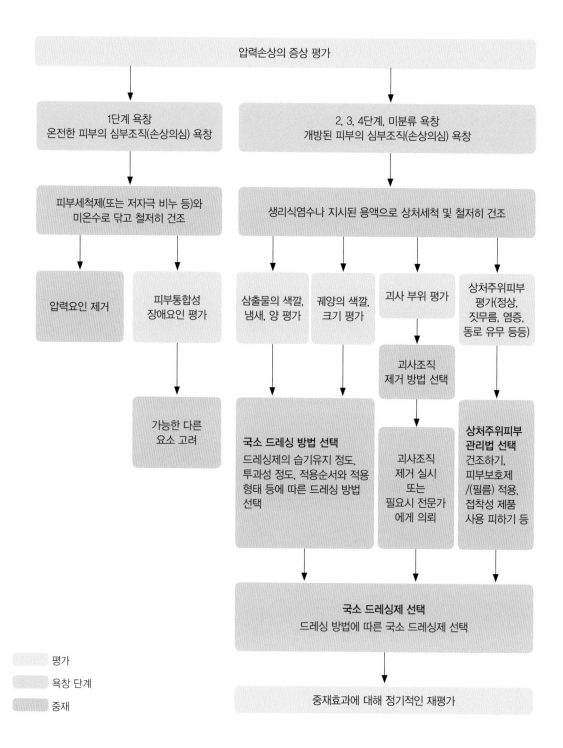

압력손상의 증상 평가

1단계 욕창
온전한 피부의 심부조직(손상의심) 욕창

2, 3, 4단계, 미분류 욕창
개방된 피부의 심부조직(손상의심) 욕창

피부세척제(또는 저자극 비누 등)와
미온수로 닦고 철저히 건조

생리식염수나 지시된 용액으로 상처세척 및 철저히 건조

압력요인 제거

피부통합성
장애요인 평가

삼출물의 색깔,
냄새, 양 평가

궤양의 색깔,
크기 평가

괴사 부위 평가

상처주위피부
평가(정상,
짓무름, 염증,
동로 유무 등등)

괴사조직
제거 방법 선택

가능한 다른
요소 고려

국소 드레싱 방법 선택
드레싱제의 습기유지 정도,
투과성 정도, 적용순서와 적용
형태 등에 따른 드레싱 방법
선택

괴사조직
제거 실시
또는
필요시 전문가
에게 의뢰

**상처주위피부
관리법 선택**
건조하기,
피부보호제
/(필름) 적용,
접착성 제품
사용 피하기 등

국소 드레싱제 선택
드레싱 방법에 따른 국소 드레싱제 선택

평가

욕창 단계

중재

중재효과에 대해 정기적인 재평가

Algorithm 7 세균집락화와 감염

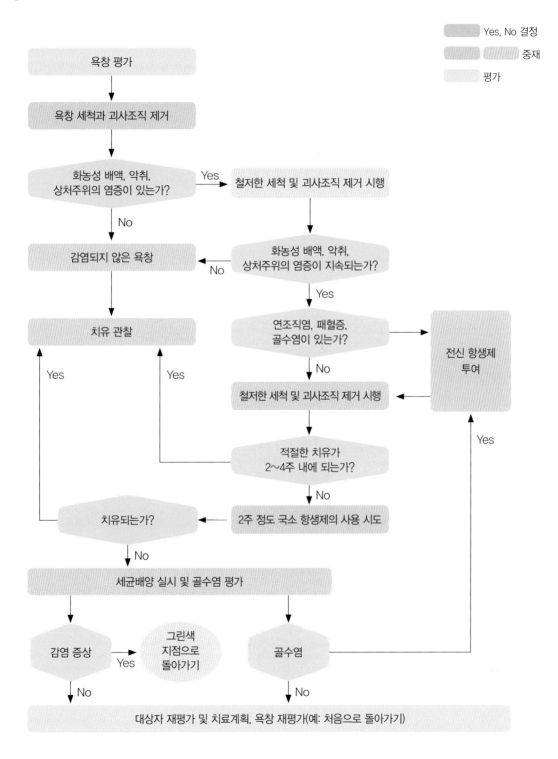

범례:
- Yes, No 결정
- 중재
- 평가

욕창 평가

↓

욕창 세척과 괴사조직 제거

↓

화농성 배액, 악취, 상처주위의 염증이 있는가? —Yes→ 철저한 세척 및 괴사조직 제거 시행

│No ↓

감염되지 않은 욕창 ←No— 화농성 배액, 악취, 상처주위의 염증이 지속되는가?

↓ │Yes

치유 관찰 ← 연조직염, 패혈증, 골수염이 있는가? →전신 항생제 투여

Yes   Yes   │No

철저한 세척 및 괴사조직 제거 시행 ←

↓

적절한 치유가 2~4주 내에 되는가?

│No

치유되는가? ←No— 2주 정도 국소 항생제의 사용 시도

│No

세균배양 실시 및 골수염 평가

감염 증상 —Yes→ 그린색 지점으로 돌아가기   골수염 →Yes (전신 항생제 투여)

│No   │No

대상자 재평가 및 치료계획, 욕창 재평가(예: 처음으로 돌아가기)

참고문헌

- 박경희. 그림으로 보는 상처관리 (1판). 서울: 군자출판사. 2010.

- 박경희, 김정윤, 박옥경, 박주희, 이윤진, 황지현. 근거기반 임상간호실무지침 욕창간호 실무지침. 서울: 병원간호사회. 2018.37-200.

- 박경희, 박승미, 전호경. 상처·장루. 서울: 현문사. 2005.

- 박경희, 최희정. 실금간호 프로토콜 수용개작 및 효과 검증. 대한간호학회지. 2015;45(3):357-66.

- 조강희, 윤승호, 이호. 매트리스와 자세 변화에 따른 신체−침대면 압력 및 피부 혈류량 변화. 대한재활의학회지. 2010;34(2):214-9.

- 박경희, 신형익. 욕창. 재활의학 (6판). 파주: 군자출판사. 2019. 617-36.

- Agency for Healthcare Research and Quality (AHRQ). Pressure ulcer risk assessment and prevention: comparative effectiveness. www.ncbi.nlm.nih.gov. 2013.

- Association for the Advancement of Wound Care (AAWC). Association for the Advancement of Wound Care guideline of pressure ulcer guidelines. Malvern, PA: Author. 2010.

- Attinger C, Wolcott R. Clinically addressing biofilm in chronic wounds. Adv Wound Care. 2012;1(3):127-32.

- Bauer J, Biolo G, Cederholm T, Cesari M, Cruz-Jentoft AJ, Morley JE, et al. Evidence-based recommendations for optimal protein intake for older people: a position paper form the PROT-AGE Study Group. J Am Med Dir Assoc. 2013;14(8):542-9.

- Best K, Desharnais G, Boily J, Miller W, Camp P. The effect of a trunk release maneuver on peak pressure index, trunk displacement and perceived discomfort in older adults seated in a high Fowler's position: a randomized controlled trial. BMC Geriatric. 2012;12(1):72.

- Bryant RA, Nix DP. Acute & Chronic Wounds: current management concepts (5th ed.). St. Louis: Elsevier. 2016.

- Chung CH, Lau MC, Leung TY, Yui KY, Chan SH, Chan SL, et al. Effect of head elevation on sacral and ischial tuberosities pressure in infirmary patients. Asian J Gerontol Geriatr. 2012;7(2):101-6.

- Coleman S, Gorecki C, Nelson A, Closs SJ, Defloor T, Halfens R, et al. Patient risk factors for pressure ulcer development: systematic review. Int J Nurs Stud. 2013;50(7):974-1003.

- Dhivya S, Padma VV, Santhini E. Wound dressings-a review. BioMedicine. 2015;5(4):22.

- Fowler E, Scott−Williams S, McGuire JB. Practice recommendations for preventing heel pressure ulcers. Ostomy Wound Manage. 2008;54(10):42-57.

- Gillespie BM, Chaboyer W, Mclnnes E, Kent B, Whitty JA, Thalib L. Repositioning for pressure ulcer prevention in adults. Cochrane Database Syst Revs. 2014;4.

- Gray M, Beeckman D, Bliss DZ, Fader M, Logan S, Junkin J, et al. Incontinence-associated dermatitis: a comprehensive review and update. J Wound Ostomy Continence Nurs. 2012;39(1):61-74.

- Gupta S, Gabriel A, Lantis J, et al. Clinical recommendations and practical guide for negative pressure wound therapy with instillation. Int Wound J. 2016;13(2):159-74.

- Källman U, Bergstrand S, Ek AC, Engström M, Lindberg LG, Lindgren M. Different lying positions and their effects on tissue blood flow and skin temperature in older adult patients. J Adv Nurs. 2013;69(1):133-44.

- Landriscina A, Rosen J, Friedman AJ. Systematic approach to wound dressings. J Drugs Dermatol. 2015;14(7): 740-4.

- Lippincott Williams & Wilkins. Wound care made incredibly visual (2nd ed.). Ambler: Author. 2012.

- McInnes E, Chaboyer W, Munay E, Allen T, Jones P. The role of patients in pressure injury prevention: a survey of acute care patients. BMC Nurs. 2014;13(1):41.

- McNichol L, Lund C, Rosen TMG. Medical adhesives and patient safety: state of the science: consensus statements for the assessment, prevention, and treatment of adhesive-related skin injuries. Orthop Nurs. 2013;32(5):267-81.

- Metcalf D, Bowler P. Biofilm delays wound healing: a review of the evidence. Burns Trauma. 2013;1(1):5-12.

- Moore Z, Cowman S, Conroy RM. A randomised controlled clinical trial of repositioning, using the 30° tilt, for the prevention of pressure ulcers. J Clin Nurs. 2011;20(17-18):2633-44.

- National Pressure Ulcer Advisory Panel, European Pressure Ulcer Advisory Panel and Pan Pacific Pressure Injury Alliance (NPUAP, EPUAP & PPPIA). Prevention and treatment of pressure ulcers: clinical practice guideline. Cambridge Media: Osborne Park, Western Australia: Author. 2014.

- Park KH. The effect of a ceramide-containing dressing in preventing pressure ulcers. J Wound Care. 2014;23(7):347-53.

- Park KH. A retrospective study using the pressure ulcer scale for healing (PUSH) tool to examine factors affecting stage II pressure ulcer healing in a Korean acute care hospital. Ostomy Wound Manage. 2014;60(9):40-51.

- Park KH. The effect of a silicone border foam dressing for prevention of pressure ulcers and incontinence-associated dermatitis in intensive care unit patients. J Wound Ostomy Continence Nurs. 2014;41(5):424-9.

- Park KH, Choi H. Prospective study on Incontinence-Associated Dermatitis and its Severity instrument for verifying its ability to predict the development of pressure ulcers in patients with fecal incontinence. Int Wound J. 2016;13(1):S20-5.

- Park KH, Kim KS. Effect of a structured skin care regimen on patients with fecal incontinence: a comparison cohort study. J Wound Ostomy Continence Nurs. 2014;41(2):161-7.

- Park KH, Park J. The efficacy of a viscoelastic foam overlay on prevention of pressure injury in acutely ill patients: a randomized controlled trial. J Wound Ostomy Continence Nurs. 2017;44(5):440-4.

- Qaseem A, Humphrey LL, Forciea MA., Starkey M, Denberg TD. Treatment of pressure ulcers: a clinical practice guideline from the American College of Physicians. Ann Intern Med. 2015;162(5):370-9.

- Qaseem A, Mir TP, Starkey M, Denberg TD. Risk assessment and prevention of pressure ulcers: a clinical practice guideline from the American College of Physicians. Ann Intern Med. 2015;162(5): 359-69.

- Registered Nurses' Association of Ontario. Assessment and management of pressure injuries for interprofessional team. Toronto, Canada: Author. 2016.

- Registered Nurses' Association of Ontario. Risk assessment and prevention of pressure ulcers. Toronto, Canada: Author. 2011.

- Sung YH, Park KH. Factors affecting the healing of pressure ulcers in a Korean acute care hospital. J Wound Ostomy Continence Nurs. 2011;38(1):38-45.

- Sussman C, Bates-Jensen BM. Wound care: A collaborative practice manual for health professionals (4th ed.). Baltimore: Lippincott Williams & Wilkins. 2012.

- Wolcott RD, Rumbaugh KP, James G, Schultz GS, Phillips P, Yang Q, et al. Biofilm maturity studies indicate sharp debridement opens a time-dependent therapeutic window. J Wound Care. 2010;19(8):320-8.

- Wound Ostomy and Continence Nurses Society (WOCN). Guideline for prevention and management of pressure ulcers (Injuries). Mt. Laurel, NJ: Author. 2016.